百科探索 09

探索宇宙未解之謎

宇宙是如何形成的？宇宙的年齡有多大？

宇宙會滅亡嗎？宇宙的中心在哪裡？

茫茫宇宙中，

還有像地球一樣有智慧生物生存的星球嗎……

李淑穎——編著

前言

我們生活在地球上，地球是太陽系中不大不小的一顆行星，太陽系是銀河系中一個微不足道的小星系，銀河系對於宇宙而言，也僅僅是一個很不起眼的星系。宇宙究竟有多大？這個問題，千百年來，一直困擾著人類。從起初的「地心說」，再到「日心說」，再到認識到宇宙由數十億甚至數百億個星系組成，人類對宇宙的認識越來越深入，但隨之而來的謎題也越來越多。

宇宙是如何形成的？宇宙的年齡有多大？宇宙會滅亡嗎？宇宙的中心在哪裡？茫茫宇宙中，還有像地球一樣有智能生物生存的星球嗎……許許多多的問題，科學家們正利用一切高科技儀器努力探索答案。

《探索宇宙未解之謎》分五大板塊：「神秘的宇宙」

為你系統地講解宇宙的形成、宇宙各組成部分的概況；「探索太陽系」揭開太陽的神秘面紗，詳述太陽系的組成和太陽的有關知識；「解析八大行星」詳盡分析八大行星，逐一「品頭論足」，讓你對我們的「家園」和「近鄰」有一個更全面的了解；「星空的奧秘」匯集了宇宙中諸多天體的各種奇特現象，以及人類探索宇宙的諸多發現和疑惑；「外星人與 UFO」展示了一件件人類與外星生命體近距離接觸的奇聞異事。

書中的諸多問題雖然到目前為止尚未有明確的答案，是以「假說、推論、猜測」的方式來講解的，但它更能激起青少年探索未知世界的興趣。宇宙浩瀚無邊，裡面蘊藏著成千上萬個奧秘，等待著青少年朋友去探知。那麼，就讓本書伴隨著你，一起走進這個神秘莫測的宇宙空間吧！

編　者

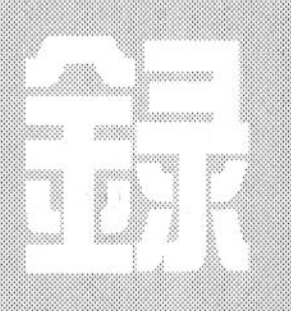

神秘的宇宙

探索太陽系

解析八大行星

星空的奧秘

外星人與 UFO

神秘的宇宙

宇宙是什麼？宇宙就是我們所在的空間和時間的總稱。地球是我們的家園，而地球僅僅是太陽系的第三顆行星，太陽系又僅僅定居於銀河系巨大旋臂的一側，銀河系在宇宙所有星系中，也許很不起眼……這一切，組成了我們的宇宙。

宇宙是如何誕生的？宇宙會消失嗎？宇宙是什麼形狀……人類一直在孜孜不倦地探索和追尋著這些問題的答案。

宇宙誕生之謎

宇宙是由空間、時間、物質和能量構成的統一體。我們一般理解的宇宙，包括一切，是萬物的總合。千百年來，人類一直在探尋宇宙的起源。今天，雖然科學技術已經有了重大進步，但關於宇宙的成因仍處於假說階段。以下是幾種常見的說法：

宇宙大爆炸理論

宇宙大爆炸理論是關於宇宙起源的各種假說中，最著名、最有影響的一種。它於一九二七年由比利時天文學家、宇宙學家勒梅特提出。勒梅特認為，最初宇宙的所有物質集中在一個超原子的「宇宙蛋」裡，這些物質在一次無與倫比的大爆炸中，分裂成無數碎片，從而形成了今天的宇宙。

一九四八年，俄裔美籍物理學家伽莫夫等人，又詳細勾畫出了宇宙膨脹演化過程的圖像。他們指出，到今天為止，宇宙大約經過了一百四十億年的演化過程，該過程可以分為三個階段：第一階段，爆炸剛剛開始，整個宇宙還處於一種高溫高密的狀態，溫度高達攝氏上百億度，光輻射極強，

宇宙大爆炸模擬圖

所有天體都還沒有誕生。第二階段，整個宇宙體系不斷膨脹，溫度很快下降。第三階段，宇宙的溫度下降到一億二千萬℃至今。在第三階段，由於溫度降低，輻射減少，宇宙間充滿了氣態物質，氣體逐漸凝聚成雲，再進一步形成各種各樣的恆星體和恆星系，最後就形成了人們今天看到的星空世界。

但是，以大爆炸作為宇宙起源的說法仍需論證，因為沒有人能對宇宙在大爆炸後，如何維持有序的狀態給出合理的解釋。

正因為大爆炸理論一直存在許多令人迷惑之處，因而不斷受到天文新發現的挑戰。一個國際天文學家小組利用哈勃太空望遠鏡進行觀測後發現，宇宙正在迅速膨

脹，其速度比宇宙大爆炸理論所認為的要快得多。以這個速度推算，宇宙可能只有八十億年的歷史，而銀河系中的一些恆星卻要古老得多，銀河系的歷史有可能長達一百六十億年。銀河系的歷史比整個宇宙的歷史還要悠久，這一結論似乎令人難以理解。

那麼，一種可能是，人們對恆星年齡的估算並不正確；另一種可能就是宇宙大爆炸理論本身就是錯誤的。

「宇宙層次」說

關於宇宙的誕生，英國天文學家霍伊爾等人提出了「宇宙層次」假說。這一理論認為，宇宙的結構是分層次的，恆星是一個層次，恆星集合組成的星系是一個層次，許多星系結合在一起組合成的星系團是另一個層次，多個星系團組成的超星系團又是一個層次。然而，這種假說並沒有說明恆星、星系、星系團、超星系團是如何起源，宇宙又是如何起源的，因而，該假說一經提出，就出現大量質疑的聲音。

「亞穩狀態宇宙論」

一九九九年九月，印度天文學家納爾利卡爾等人提出的一種新的宇宙起源理論——「亞穩狀態宇宙論」。該理論認為，宇宙在最初的時候是一個被稱為「創物場」的巨大能量庫，在這個能量庫中，不斷地發生爆炸，逐漸形成了宇宙的雛形。此後，宇宙空間又接連不斷地發生小規模爆炸，導致局部空間膨脹，最後便造成了整個宇宙的膨脹。

以上這些假說，雖然各從一定程度上對宇宙誕生之謎做出解釋，但它們都不能完全解釋宇宙誕生的過程。可以預測，隨著空間技術的發展，人類對宇宙的起源將會做出更為完整和科學的解釋。

恆　星

恆星是由熾熱氣體組成的，能自己發光的球狀或類球狀天體。例如，我們熟悉的太陽就是一顆恆星。

宇宙的年齡有多大

宇宙的年齡問題已經困擾了科學家們幾個世紀。現在，科學家們對宇宙年齡的測量手段多種多樣，得出的數據也各不相同。最初，科學家認為宇宙的年齡在一百億至二百億年。隨著研究的進一步深入，又有了更加精確的數字。

至少一百二十五億年

二〇〇一年，法國巴黎天文臺的科學家在英國的《自然》雜誌上發表了有關宇宙年齡的論文。文中說，他們與其他國家的科學家合作，利用歐洲南方天文臺設立在智利的「極大望遠鏡」上的高精度光譜儀，觀察到了一顆名為CS31082-001的貧金屬恆星上的鈾238譜線。根據鈾元素的譜線，可以推算出該恆星上鈾元素的含量。科學家將它與釷元素含量進行比較後，初步推算出，宇宙的年齡至少有一百二十五億年，誤差為三十三億年左右。

至少一百三十五億年

二〇〇二年，一個由法國、荷蘭、德國和美國科學家組成的研究小組宣佈，他們發現了一個遠在一百三十五億光年外的、正在形成的星系團，這是當時人類發現最遠的星系團。科學家們根據這一發現推測，宇宙的年齡不會低於一百三十五億年，但也不會超出這一數字太多，因為這一星系團是宇宙誕生初期的產物。

一百三十億至一百四十億年

二〇〇七年，美國太空總署（NASA）的天文學家在新聞發表會上介紹說，他們利用哈勃太空望遠鏡，觀測到了迄今所發現銀河系中最古老的白矮星，這為確定宇宙年齡提供了一種全新的途徑。白矮星是早期恆星燃盡後的產物，會隨著年齡的增長而逐漸冷卻，因而被視為測量宇宙年齡的理想「時鐘」。根據他們的推測，宇宙的年齡應該為一百三十億至一百四十億年。

伴隨著新的發現，更多的宇宙年齡估計值將被測算出來，我們也會得出宇宙的真實年齡。

宇宙到底有多大

人們常用「浩瀚」來形容宇宙，那麼宇宙到底有多大呢？對我們人類來說，浩瀚無垠的宇宙幾乎是不可度量的。而對天文學家來說，精確地測繪宇宙天體不僅是必要的，也是可能的。

目前科學家所能計算的宇宙只能是可見的宇宙，也就是以我們所在的地球為中心的一個球體，其半徑是自大爆炸以來，從大爆炸原始中心向外迅速膨脹的光所通過的空間。

天文學採用的計量單位是「光年」，即光在一年裡所走的距離。光的前進速度約為每秒三十萬公里，一光年大約是九點七萬億公里。銀河系的直徑約為十萬光年。而在銀河系之外還有別的星系。迄今為止，我們所能觀測到最遙遠的天體，與地球相隔一百億至二百億光年。

經過不斷的探索，宇宙學家的最新研究成果告訴我們一個確切的數字。美國蒙大拿州立大學的尼爾．考內什博士在他的論文裡提到，宇宙的直徑至少是七百八十億光年，而進一步的研究可能會使這個下限提高到九百億光年左右。但這樣的研究結論並不表示宇宙就一定是有限的，它僅僅是給出了一個下限，而真實的宇宙有可能比這還要大得多。

那麼，既然宇宙如此之大，宇宙學家又是怎樣「量」出來的呢？考內什博士及其同事多年來一直在研究威爾金森微波背景輻射各向異性探測器（WMAP）的觀測數據。WMAP運行在地球之外一百五十萬公里遠的地方，能夠極其敏銳地探測到宇宙大爆炸所遺留下來的餘溫，具體說來，就是宇宙大爆炸發生僅僅 38 萬年之後的光線。透過研究宇宙各個方向上溫度的細微差異，宇宙學家就能夠了解到宇宙的許多物理性質。

那麼七百八十億光年這個數據又是怎麼算出來的呢？根據二○○七年 NASA 公佈的數據，宇宙的年齡為一百三十多億歲，因此，WMAP 觀察到宇宙中最早的光線，到達我們這裡至少需要一百三十億光年。這裡很容易讓人產生迷惑：這樣的話，宇宙的直徑難道不應該是一百三十多億光年的兩倍，也就是大約二百七十億光年嗎？

當然不是，雖然這不太好理解。宇宙從它誕生的那一刻起就在不斷膨脹，宇宙早期光線傳播的實際路程因宇宙的膨脹而增加了。考內什打比方說，想像一下宇宙誕生一百萬年時，一束光線傳播了一年時間，經過的路程是一光年，那個時候的宇宙直徑只是現在的千分之一，所以那個時候一光年的路程隨著宇宙的膨脹，到了今天就是一千光年。考慮到這樣的效應，考內什等人才得出了七百八十億光年的結論。

宇宙會死亡嗎

按宇宙大爆炸理論推斷，宇宙的未來只有兩種可能：要麼宇宙的密度大到使引力能夠克服大爆炸以來的膨脹，並且把所有的物質重新拉攏到一起，形成一次大坍塌；要麼宇宙的密度不足以產生強大的引力，則膨脹將會永遠持續下去。

暴縮引起坍塌

在前一種假設情況下，宇宙的收縮過程與大爆炸後的膨脹過程是基本對稱的。收縮過程起初很緩慢，隨後越來越快。到達一定程度後，宇宙的體積開始縮小，輻射加強，溫度上升，漆黑寒冷的宇宙變成一個越來越熱的熔爐，生命都被焚燒殆盡。

然後，行星、恆星也毀滅了，原先分佈在浩瀚空間中的物質，全部被擠進一個很小的空間內。

接著，溫度高到連原子核也被焚毀了，宇宙又變成了基本粒子的集合。然而，這種狀態也只能延續很短的時間。隨後，質子和中子也擠成一堆等離子體。在最後的時刻，難以想像的巨大引力毫不留情地把物質和空間擠得粉碎。

在這場與大爆炸的「暴脹」相對的「暴縮」中，所有的物質都將因擠壓而不復存在，空間和時間本身也都將被消滅。大爆炸中誕生出的宇宙，最終也將歸於虛無。

哈勃太空望遠鏡拍到的宇宙圖片

從膨脹走向滅亡

在後一種假設情況下，宇宙則將永遠地膨脹下去，並由膨脹走向滅亡。

　　一九九八年，從哈勃太空望遠鏡和其他天文望遠鏡傳來的數據顯示，宇宙正在加速膨脹。在此之前，科學家們普遍，認為宇宙的膨脹速度在引力的作用下應該會不斷變小才是，因此，宇宙正在加速膨脹這一結論，令他們感到十分困惑。

　　有人推測，宇宙加速膨脹的原因很可能是由於「暗能量」的存在。他們認為，正是暗能量抵銷了引力的作用，從而推動了宇宙的加速膨脹。而在遙遠的未來，宇宙的尺寸會膨脹到今天的數千億倍，而且還將不斷擴張。在這個系統裡，引力雖不足以使膨脹停止，但會悄悄地消耗整個系統的能量，使宇宙緩慢走向衰亡。黑洞最終全都將以熱和光的形式蒸發掉，連質子這樣穩定的基本粒子也會衰變、消亡，宇宙最終變得極其稀薄，光子、中微子和越來越少的電子都在緩慢地運動，彼此越離越遠。這時的宇宙，寒冷、黑暗、荒涼而又空虛，它已經走完了自己的歷程，接下來面對的便是永恆的死亡。如果存在質子衰變的話，宇宙最後甚至連氫原子這種最基本也最多的重子物質都會消失掉，而只剩下輻射。

　　不過，也有人提出了新的推測：宇宙也許不會因為膨脹而走向滅亡，可能只是離開我們的視界，而同我們失去聯繫，其最終的結果還不清楚。

宇宙的結局是什麼，和宇宙的起源一樣，將是一個可以讓科學家們長期研究的謎題。

霍金的猜測

「宇宙有始而無終」，這是霍金對宇宙的起源和歸宿問題提出的最新見解，這一觀點的理論基礎則是霍金提出的「開放暴脹」理論。他認為，宇宙最初的模樣是一個豌豆大小的物體，懸浮於一片沒有時間的真空，豌豆狀的宇宙在大爆炸前經歷了被稱為「暴脹」的極其快速的膨脹過程。霍金根據「開放暴脹」理論推斷，宇宙將無限地膨脹下去。

宇宙是什麼形狀的

宇宙究竟呈什麼形狀，目前尚無定論。它可能像一張紙一樣平坦，也可能是彎曲的，也可能像個蛋或足球，也可能是喇叭形狀，它還可能因重力在大爆炸剛剛開始時就打成了結，纏繞在一起，它甚至可能是我們還沒能發現的宇宙中最複雜的形狀。經過多年的探測，宇宙學家逐漸獲得了一些接近的答案。

宇宙是橢圓形的

二〇〇六年，義大利費拉拉大學天體物理學家萊昂納多·卡帕尼利及其在巴里大學的同行保羅·塞阿和路易吉·泰代斯科提出的新觀點認為，宇宙的形狀是一個類似雞蛋的橢圓形球體。

義大利研究人員表示，在一塊有限的空間內，宇宙的微波背景輻射在橫向和縱向上是一致的。但如果把範圍擴大到整個可觀察的空間，就會發現宇宙的微波背景輻射在橫向上是對稱的圓形，而在縱向上卻是個有一定偏心率的橢圓形。這表示，宇宙的形狀看上去就是一個類似雞蛋的橢圓形球體。宇宙是橢圓形的這種說法，儘管得到了一些科學家的認同，但要證實這一理論還需要對宇宙進行更加全面的探測和研究。

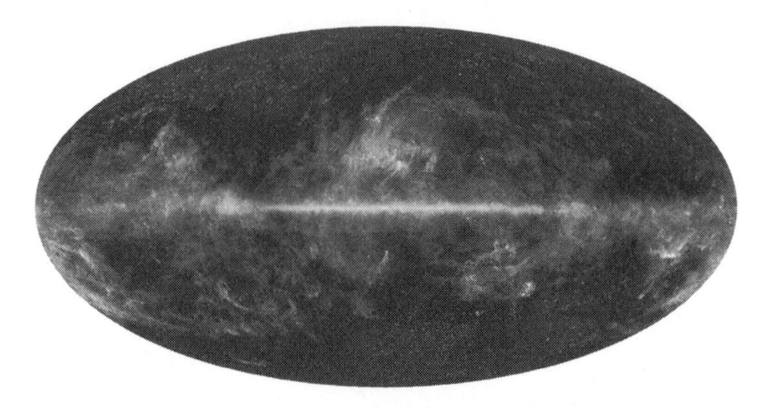

歐洲太空局公佈的宇宙圖

彎曲的太空

在「宇宙是橢圓形的」這一理論產生之前，更多的科學家認同的是愛因斯坦的廣義相對論中提到的「彎曲太空說」。愛因斯坦的廣義相對論說，太空並不只是真空——它是一個看不見的結構，裡面嵌著恆星和星系。這些大量的物質使結構變形，在物質周圍的空間中，產生了一個「擠壓」。普通空間的三維圖像變形，會彎曲成為四維圖像。因為這很難想象，所以科學家們往往將其簡化，先將宇宙表示成「二維」模型(「二維橡皮單」)，然後再進行彎曲，就變成了高維空間的宇宙模型。

伸展的太空

天體的質量使得太空向內圍繞著它彎曲，但是很多天文學家現在相信存在著另一種力，這種力隱藏在空曠的太空中，起到了相反的作用，把太空向外推，這可以用來解釋一些已觀察到的現象。這個隱藏的作用力叫「宇宙常數」，首先是由愛因斯坦作為廣義相對論的一部分提出的，不過後來他又稱這是他最大的錯誤。這個宇宙常數使得宇宙中天體之間的空間能逐漸伸展。

扭曲的宇宙

按最大規模來說，整個宇宙的質量可以使得它周圍的太空彎曲。廣義相對論認為宇宙可以向三個方向中的任一方彎曲，這取決於裡面物質的密度。如果再次用橡皮單模型，宇宙可能是扁平的，它可能向內彎曲而兩邊相碰，也可能向外彎曲成馬鞍狀。

宇宙有中心嗎

太陽是太陽系的中心，太陽系中的行星都圍繞著太陽旋轉。銀河系也有中心，銀河系裡的所有恆星都圍繞著它的中心旋轉。那麼宇宙有中心嗎？

根據宇宙大爆炸理論，最初的超原子「宇宙蛋」爆炸後分散出無數碎片，因此宇宙似乎應該存在這樣一個中心，但是實際上它並不存在。因為宇宙的膨脹一般不是發生在三維空間內，而是發生在四維空間內的。它不僅包括普通三維空間（長度、寬度和高度），還包括第四維空間——時間。描述四維空間的膨脹是非常困難的，但是我們也許可以透過推斷氣球的膨脹來解釋它。

我們可以假設宇宙是一個正在膨脹的氣球，而星系是氣球表面上的點，我們就住在這些點上。我們還可以假設星系不會離開氣球的表面，只能沿著表面移動，而不能進入氣球內部或向外運動。從某種意義上說，我們可以把自己描述為一個二維空間的人。如果宇宙不斷膨脹，也就是說氣球的表面不斷地向外膨脹，則表面上的每個點彼此離得越來越遠。其中，某一點上的某個人將會看到其他所有的點都在退行，而且離得越遠的點退行速度越快。

現在，假設我們要尋找氣球表面上的點退行的地方，那麼我們就會發現，它已經不在氣球表面上的二維空間內了。氣球的膨脹實際上是從內部的中心開始的，是在三維空間內的，而我們是在二維空間上，所以我們不可能探測到三維空間內的事物。

同樣的，宇宙的膨脹是發生在四維空間內的，而我們只能在宇宙的三維空間內運動。宇宙開始膨脹的地方是在過去的某個時間，即億萬年以前，雖然我們可以獲得有關的信息，卻無法回到那個時候。

什麼是「維」

「維」是一種度量時間和空間的尺度。其中，一維只有長度；二維有長和寬；三維具有長、寬、高。如果在三維空間中再加上時間，就構成了四維。

宇宙中的「島嶼」——星系

在茫茫宇宙中，千姿百態的閃亮「島嶼」錯雜分佈，每個「島嶼」都是由無數顆恆星、各種天體和星際物質組成的天體系統，天文學上稱之為「星系」，也稱恆星系。我們的太陽系就居住在一個巨大的星系——銀河系之中。

事實上，直到二十世紀初期，人們還認為銀河系是宇宙中唯一的星系。現在我們知道，在我們能夠了解到的宇宙中，就可能「居住」著超過十億個「銀河系」，它們統稱為「河外星系」。

其中，每個星系可能包含有數十億甚至數萬億顆恆星，以及數不清的行星。在有些行星上面，很可能就有生命存在。

憑著我們目前的觀測設備，看到最遠的星系距離地球一百五十億到二百億光年。各種星系如寶石般閃爍著光芒，相貌各異。天文學家根據星系的形狀，將所有星系劃分為三大類：一類是旋渦星系，它們呈螺旋狀，有幾條螺旋狀的旋臂；一類是橢圓星系，它們的外形像一個橢圓；另一類是不規則星系，它們沒有固定的形狀，沒有明顯的核和旋臂，一般比較小。我們的銀河系是一個旋渦星系。著名的仙女座星系也屬於這種類型。有些旋渦星系還帶有棒狀的核心，因此被稱為棒旋星系。

星系也有多個聚集在一起的，兩個聚在一起的叫「雙星系」，多個聚在一起的叫「多重星系」。一群星系聚集在一起又可以組成「星系集團」。銀河系和它周圍的三十多個星系就組成了一個集團——本星系群。所有已觀測到的星系（包含河外星系），構成了一個巨大的星系集團，稱為「總星系」。

我們能用肉眼看到的星系不多，只有幾個，而且它們看上去也只是像星星那樣大的光斑。仙女座星系是離我們銀河系最近的河外星系之一，它與銀河系非常相似，包括類似於銀河系的各種各樣的恆星、星團和星雲等。仙女座河外星系雖然是我們的鄰居，但它距離地球也有二百多萬光年。

什麼是星團

由超過十顆的恆星聚在一起，所形成的恆星集合體稱為「星團」，由十幾顆至幾千顆恆星不規則地聚在一起，所組成的星團叫「疏散星團」，它們主要分佈在銀道面，因此又叫做銀河星團，主要由藍巨星組成，例如昴宿星團（又名昴星團）；數以萬計的恆星聚在一起形成密集的球狀的星團叫「球狀星團」。

我們的銀河系

人們用雙筒望遠鏡觀察銀河時可以清楚地看到，銀河其實是由一顆顆星星組成的。

銀河系中大約有二千億顆星星，它們和大量的氣體、塵埃、暗物質一起構成了銀河系。事實上，恆星和行星在星系中只佔了一小部分，神秘的暗物質才是星系的主體，約佔銀河系質量的百分之九十。

銀河系側看像一個中心略鼓的大圓盤（或鐵餅），我們稱之為「銀盤」，銀河系中的主要物質都集中在這個銀盤中。銀盤中心隆起近似於球形的部分叫「核球」，那裡恆星高度密集。核球區域的中心有一個很小的致密區，叫「銀核」。銀核的直徑約為二萬光年，厚約一萬光年，質量相當於一千萬個太陽的質量。

銀盤外面是一個範圍更大、近似於球狀分佈的系統，我們稱之為「銀暈」。銀暈中的恆星密度比銀盤中的恆星密度小得多，主要是一些球狀星團。銀暈外面還有銀冕，它的物質分佈也大致呈球形。銀冕是銀河系的最外圍，比銀河系的主體部分要大得多，全部由非常稀薄的氣體組成，因此不易準確測定出它的真正範圍。

銀河系的旋渦結構反應了它也在做自轉運動，也就是說銀河系中的恆星、星雲和星際物質都在圍繞銀河的中心，即銀核旋轉。

我們可以把銀河系想像成一個旋轉著的圓盤。這個圓盤中心的密度非常大，圓盤的四周還有一些彎曲的旋臂。這些旋臂呈螺旋狀，許多恆星都誕生於此。銀河系有四條螺旋狀的旋臂，它們和銀河系中心一樣都是恆星密集的地方。恆星本身能發光發熱，因而從外面看，這些旋臂看起來甚至比圓盤的中心更加明亮。這個圓盤周圍，是由球狀星團、零散的星星、氣體，和被人們稱為「暈圈」的暗物質所組成的雲狀物質。

這個圓盤的直徑大約為十萬光年，中心厚度約為一萬八千光年，邊緣厚三千光年到六千光年。從銀河的一端到另一端，假如乘坐時速一百多公里的飛機，需要一千億年才能到達。即使是跑得最快的光，穿過銀河系也至少要十萬年。

銀河系的年齡有多大

長期以來，人們對銀河系的年齡說法不一。現在，天文學家們終於研究出測量星團年齡的方法，因而，銀河系的年齡謎題有望破解了。

人們知道，質量巨大的恆星，只能在短時間內存活，而質量相對較小、發出的光線相對較弱的恆星，則可以長時間地存活，比如太陽。如果在一個星團中存在著質量巨大的短命恆星，那麼這個星團不會特別古老，因為一個星團的所有成員幾乎都是同時形成的。與此相比，在一個星團中，如果所有質量巨大以及中等大小的恆星都消失了，這個星團的年齡可能會非常大。我們的銀河中有許多球狀星團。天文學家透過上面描述的方法，測出了這些球狀星團的大致年齡。測得的數值令人吃驚：這些球狀星團是在至少一百二十億年前形成的。因此，假如它們是銀河系中最古老的天體，那銀河系存在的時間一定大於一百億年，但銀河系的年齡並不是無限大。也就是說，雖然銀河系存在的時間比太陽系更長，但這個時間也是有限的。這也表示，太陽和地球所包含的物質並不是在宇宙形成之初就有的，而是在一段時間之後才出現的。

二〇〇四年，歐洲南方天文臺的天文學家們根據最新觀測結果推算，銀河系的誕生只比宇宙稍晚。天文學家稱，基於宇宙大爆炸理論，銀河系中的第一批星體應該是緊隨宇宙大爆炸後產生。按天文學家最精確的推算，宇宙的年齡應在一百三十億到一百四十億年之間。

二〇〇五年，美國芝加哥大學的助理教授尼古拉斯・道法斯在《自然》雜誌上發表的論文裡提到，他設計的一種新方法可以作為「宇宙鐘」，計算出我們銀河系的年齡。他用這種方法計算出銀河系的年齡在一百四十五億歲左右，上下誤差二十多億年。

道法斯介紹，他進行這一計算的理論基礎是放射性同位素鈾 238 和釷 232 的豐度。運用放射性元素來測定年齡的方法在天文學中應用非常廣泛，只要天體在結構形成時，從外界吸納了放射性元素，就可以使用這種方法來確定其結構存在的年齡。對於星體，鈾 238 和釷 232 的半衰期分別是四十五億年和一百四十億年，因而人們常用這兩種元素來測定天體的年齡，這種測定方法則被稱為「鈾／釷宇宙鐘」。

道法斯結合了隕石中鈾／釷豐度的數據，以及天文學家已觀測到的銀河系外圍球形星團中一顆古老恆星的鈾／釷豐度數據，再結合鈾和釷的衰變速度，推算出了銀河系的年齡。

不同的數據讓人們對銀河系的年齡越來越疑惑。看來，要想得到一個準確的答案，還需要科學家的不斷探索。

銀河系的近鄰

南天夜空深處，可以看見兩個形狀不規則的亮斑與銀河系遙遙相對。實際上，那是銀河系的兩個鄰近星系——大麥哲倫雲和小麥哲倫雲，這兩個星系由無數顆恆星組成。大麥哲倫雲位於劍魚座中，小麥哲倫雲位於杜鵑座中。

大麥哲倫雲離銀河系較近，二者相距約一萬七千光年。它是一個小星系，直徑約為三萬光年。小麥哲倫雲是銀河系的已知衛星星系中第四近鄰的星系，僅次於大犬座、天馬座矮星系以及大麥哲倫雲。它距離地球約二十一萬光年，直徑約為一萬五千光年。

宇宙中還存在其他「太陽系」嗎

行星、衛星、小行星和彗星圍著太陽旋轉，就像圍著篝火狂歡的人群。太陽和繞它旋轉的各種天體一起組成了太陽系。

太陽是個中等大小的恆星，這對於我們人類的生存是很有利的。夜空裡有成千上萬的恆星和太陽一樣大，一樣明亮，但是它們離我們太遠了，看起來就只是一個亮點。遙遠的恆星還遠不止這些，在銀河系裡，數以億計的恆星需要藉助於天文望遠鏡才能看得見。

宇宙中有數不清的恆星，那麼它們是不是都像太陽一樣有行星繞行呢？天文學家一直在研究這個問題。看起來，即使不是所有的恆星都有行星環繞，至少有一些恆星應該有。

據天文學家估計，宇宙中大約有一兆兆億顆行星。但要想找到這些行星，卻比找到恆星要困難得多。因為同恆星相比，行星又小又暗。所以，即使使用最強大的天文望遠鏡，在地球上也幾乎不可能看到遙遠星系中的行星。一個普通大小的行星將消失在它的恆星的光芒中。在地球上尋找其他恆星的行星有多麼困難，我們可以打這樣一個比方：在你前方三點二公里處有一支一千瓦的燈泡，你所要做的是尋找這隻燈泡附近的一粒灰塵。

因為無法透過觀察解開謎題，天文學家只好試圖嘗試其他方法。目前，他們認為最好的方法就是找出那些未知行星對已知恆星的萬有引力作用。萬有引力是由質量引起的，所有天體之間都存在相互吸引的力。恆星吸引行星，於是行星繞恆星旋轉。同樣的，行星也會反作用在恆星上一個相同大小的拉力。而且，我們知道恆星在自轉的同時也會在宇宙中穿行，而它的行星也跟著它運動。天文學家們試圖尋找恆星在穿過宇宙時微小的搖擺。因為這些搖擺很可能是我們看不見的行星在繞恆星旋轉過程中，施加給恆星的力的方向不斷改變而形成的。

一九九一年，英國的天文學家們曾經宣佈，他們發現了一種與行星大小相當的天體，正繞脈衝星旋轉。脈衝星是一種高速旋轉的、體積小、密度大的恆星，它在旋轉的過程中，還會發出無線電波。天文學家之所以認為有行星繞它旋轉，是因為他們發現無線電信號發生了波動——就像該脈衝星在擺動。幾個月後，美國科學家在這顆脈衝星上又發現了類似的波動，看起來，繞著這顆脈衝星旋轉的不止一顆行星。

但是一九九二年一月，英國天文學家又宣佈了一個出人意料的消息：他們之前的發現是錯誤的。科學研究小組沒有把觀測點所在的地球的繞日運動考慮進去，事實上這也是會影響數據分析的。

後來，美國和其他國家的聯合科學研究小組在研究中修正了這一錯誤，而且仍然有類似的發現。因此我們幾乎可以肯定，我們生活的太陽系不是宇宙裡唯一的「太陽系」。

星系會互相吞食嗎

有科學家提出，宇宙中的星系與星系之間可能會互相吞食，互相殘殺。這一觀點並非沒有依據，因為橢圓星系可能就是由兩個扁平的旋渦星系互相碰撞、混合、吞食而形成的。

在宇宙中，除了旋渦星系和橢圓星系外，還有一種環狀星系——華格天體。有人認為，華格天體的形成，就是兩個星系相碰撞、吞食的結果。而光環中心的天體和環上的結點，就是星系互相吞食後留下的痕跡。

加拿大的天文學家考門迪透過觀測還發現，在某些巨型橢圓星系中，其亮度分佈異常，好像中心部位另有一個小核。他認為，這就是一個質量小的橢圓星系被巨型橢圓星系吞食的結果。

然而在宇宙中，星系之間的距離都非常遙遠，是什麼樣的機會使它們彼此碰撞和吞食呢？所以，要想證實以上的說法，還需要進一步研究。

星系的運動速度有多快

觀察發現，銀河系裡的大部分星系都有一個共同的特徵：它們都在向著遠離銀河系的方向運動，而且距離銀河系越遠，速度就越快。

由此我們可以推斷，宇宙在自我擴張，也就是在「膨脹」。銀河系好像處在一個大爆炸的中心，碎片正在向著各個方向飛散。更確切地說，包含這些星系的整個空間都在膨脹。星系好比是一個正在「脹大」的發酵麵團中的葡萄乾，所有的「葡萄乾」在沒有主動運動的情況下，相互之間的距離就在無形中增大。儘管如此，位於其中一個「葡萄乾」中的銀河系，仍然會有這樣的印象：我們位於大爆炸的中心，所有的碎片都在向著遠離我們的方向飛行。

宇宙依照「哈勃定律」進行著膨脹，即距離加倍意味著退行速度加倍。星系的退行速度隨著距離的增大而增大，即最遠的星系以最快的速度退行。那麼，人們如何才能測量星系的退行速度呢？

哈勃運用了「都普勒效應」來計算。都普勒效應在我們的日常生活中經常有所體現。例如，當一架飛機飛向我們時，我們聽到的馬達轟鳴聲要比飛機飛離我們時更尖銳。這個規律是普遍適用的：當一個聲源向著我們的方向移動時，它所發出的聲音頻率就會比在靜止狀態下高，聲波波長就會更短；而當這個聲源向著遠離我們的方向移動時，它所發出的聲音頻率就會比在靜止狀態下低，聲波波長就會更長。利用這一原理，我們就可以計算出這個聲源的移動速度。

光也可以被描述成一種波。當一顆星星向著我們運動時，這顆星星的移動速度越快，特定原子所發出的光波波長就會越短；反之，當這顆星星向著遠離我們的方向運動時，這種原子所發出的光波波長就會變長。利用這種方法，人們就可以確定，很多鄰近的星星正在向著遠離我們的方向移動，而另外一些星星則正在飛向我們。實際上，所有遙遠的星系所發射出來的光線都顯示出波長在增長。

按照都普勒效應推測，這些星系都在向著遠離我們的方向運動。如果這些星系正在相互遠離，那麼它們一定相互靠近過。科學家推測，整個宇宙曾是一個高密度的、熾熱的火球，在某一時刻才開始膨脹冷卻。因此，星系的相互遠離也是宇宙大爆炸理論的主要依據之一。

光波的都普勒效應

如果恆星遠離我們而去，光的譜線就會向紅光方向移動，稱為紅移；如果恆星朝我們而來，光的譜線就會向紫光方向移動，稱為藍移。這就是光波的都普勒效應。

神秘的黑洞和白洞

宇宙空間存在的星系和天體分為兩種不同的性質，即陰性與陽性，且陰陽從大尺度上講是平衡的。陽性星系、天體散發著光和熱的能量信息，吸收陰和涼的能量信息。陰性星系、天體的核心散發著陰和涼的能量信息，吸收光和熱的能量信息。從視覺上說，我們是看不見陰性星系、天體的，因而，人們又將這類星系、天體稱之為黑洞。

理論上認為，黑洞是演變到最後階段的恆星：當一顆超新星爆炸時，它的核一般會坍縮成中子星，但如果這個核的質量特別大，就會進一步收縮成黑洞。處於此階段的恆星具有巨大的引力場，使得它所發射的光和電磁波都無法向外傳播，變成看不見的孤立天體。人們只能透過引力作用來確定它的存在，所以叫「黑洞」，也叫「坍縮星」。

黑洞是看不見的，只有當它靠近另一顆恆星時，才會露出端倪；或者我們直接從那些明知是雙星，卻又找不到另外一顆恆星的地方去探索，才能確定它們的存在。如果算出這類恆星的質量比太陽大得多，又有很強的X射線發出，就有可能是黑洞了。靠近黑洞的一切都會被它吞噬，包括原子、塵埃、行星等，就連光線也無法逃開。所有的東西一碰到它，就跟掉進無底洞一樣，再也找不到蹤跡了。

「黑洞」的概念一經提出後，一些科學家預言，宇宙中存在著一種與黑洞相反的特殊天體——白洞。聚集在白洞內部的物質只能向外運動，不能向內部運動。也就是說，白洞會不斷地向外部區域提供物質和能量，但不能吸收外部區域的任何物質和輻射。長此以往，白洞「吐」出來的物質將會在其外圍，形成一個封閉的邊界。

白洞學說主要用來解釋一些高能天體現象。有人認為，類星體的核心就可能是一個白洞。當白洞中心區域聚集的超密物質向外噴射時，就會猛烈地撞擊它周圍的物質，從而爆發並釋放出巨大的能量，同時伴有 X 射線、宇宙射線等。目前，白洞還只是一種理論模型，天文學家尚未觀測到或證實其存在。

宇宙中存在反物質嗎

什麼是反物質？簡而言之，反物質和物質是兩個相對立的概念。這樣說可能比較抽象，我們需要一步步去逐漸理解。

衆所周知，物質構成了世界，而原子構成了物質，原子核位於原子的中心。原子核由質子和中子組成，帶負電荷的電子圍繞原子核旋轉。原子核裡的質子帶正電荷，電子與質子所攜帶的電量相等，但一正一負。質子的質量是電子質量的一千八百四十倍，它們在質量上形成了強烈的不對質性。這引起了科學家的關注。因此，有一些科學家在二十世紀初就認為兩者相差懸殊，因而應該存在另外一種電量相等而符號相反的粒子。如：存在一個同質子質量相等但攜帶負電荷的粒子，和另一個同電子質量相等但攜帶正電荷的粒子。這就是「反物質」概念的最初觀點。

英國物理學家狄拉克根據狹義相對論和量子力學原

理，於一九二八年提出了這樣一個設想：在自然界中，存在著帶負電的電子，同時還存在著一種與電子一樣，但能量與電荷都為正的正電子。這種電子可以稱為電子的「反粒子」。狄拉克認為，物質和反物質一旦相遇，就會互相吸引，並發生碰撞而「湮滅」，各自的質量也隨之消失，並釋放出大量能量，這些能量以伽馬射線的形式出現。也正因如此，在我們的物質世界中找不到天然的反物質。

狄拉克的這一設想，對科學界震動很大。大部分科學家們認為這種設想極有道理，因而，他們極力尋找和製造反物質。

一九三二年，美國物理學家安德森研究了一種來自遙遠太空的宇宙射線。在研究過程中，他意外地發現了一種粒子，這種粒子的質量和電量都與電子完全相同，唯一不同的是在磁場中彎曲時，其方向與電子相反，也就是說它是正電子。這一發現證明了狄拉克的設想，並大大激勵了人們的研究熱情。

一九五五年，美國伯克利加州大學的錢伯林和西格雷兩位科學家，利用高能質子同步加速器發現了反質子。一九五七年，西格雷等人又觀察到了反中子。

一九七八年八月，歐洲的物理學家成功地將三百個反質子分離出來達八十五小時。

一九七九年，美國新墨西哥州立大學的科學家們進行了一個實驗，他們把一個有六十層樓高的巨大氦氣球放到高空，氣球在離地面三十五公里的高度上飛行了八個小時，捕獲了二十八個反質子。

關於反質子的發現層出不窮，這些發現激發了人們的興趣。反中子和中子一樣都不帶電，但它們在磁性上存在差別。中子具有磁性且不斷旋轉，反中子也不斷旋轉，但其旋轉方向與中子恰恰相反。順著這個線索，科學家們繼續尋找下去，結果發現了一大群新奇的粒子。到目前為止，科學家已經發現了三百多種基本粒子，這些基本粒子都是正反成對存在的，也就是說，任何粒子都可能存在著反粒子。

根據以上的研究成果，科學家認為，理論上是可以用反質子、反中子和正電子人工製造反物質原子的。一九九六年一月，歐洲核研究中心宣佈，德國物理學家奧勒特等利用該中心的設備，合成得到第一類人工製造的反原子，即十一個反氫原子。物理學家們預言，技術上進一步的改進將會使大量生產反物質原子的設想成為可能。

對於自然界中究竟有沒有反物質的問題，人們觀點各異。以往的一些理論認為，在宇宙中，正物質和反物質是對稱的、同樣多的。雖然反物質在地球上只能出現在實驗室裡，且時間短暫，但是在茫茫宇宙中的某些部分卻有可能存在一些星系，這些星系由反物質構成。在那些星體上，反物質的存在是極其「正常」的，而正物質卻成了稀少的。

物質與反物質在電磁性質上相反而其他方面均相同，那麼，在宇宙總磁場影響下，它們應該各自向宇宙的相反方向集中，分別形成星系與反星系。根據這種觀點，宇宙應該一分為二，由正物質和反物質兩部分構成。可以想像，由反物質構成的星系應該距離我們極其遙遠。但是，至今我們也無法獲得關於反星系分佈的直接證據，因為由反物質組成的星系與正物質組成的星系發出的光譜完全相同，而我們今天的天文觀測手段還沒法將它們區分開來。

宇宙中應該存在一個反物質世界，這從理論上講是行得通的，可事實上並不這麼簡單。自然的反粒子和反物質在地球上是不存在的。

科學家們研究發現，核反應中產生的反粒子被大量正常粒子包圍著，所以產生出來沒多久就會和相應的正常粒子結合。兩者結合後，反粒子便轉化成了高能量的光子輻射。可人們至今還沒有發現這種光子輻射。在我們地球上很難找到反物質，因為普通物質無處不在，而反物質一旦遇到它就會湮滅。

事實上，反物質仍能以自然形態存在於地球以外的宇宙中。由於反物質發出的光與物質發出的光一樣，所以人們無法從恆星發出的光來判斷它是物質還是反物質。因此人們推斷，完全可能有反物質構成的恆星存在於宇宙中，或者在距別的星球足夠遠的孤立空間中，甚至在銀河系中。當然，物質和反物質不可能同處在一個星體中，因為二者碰到一起就要湮滅。

那麼，能不能直接觀測太陽系以外宇宙中的反物質呢？可以，但目前只有一個辦法，那就是研究宇宙射線。

在地面實驗室中很難探測到宇宙射線中的反物質，因為有一個稠密的大氣層在地球上空。宇宙射線穿越大氣層時，會與大氣碰撞而產生次級粒子，這些次級粒子又會與大氣粒子碰撞產生更次級的粒子，這樣幾經反覆，地面上便測不到原始的宇宙射線了，因此也無法確定宇宙射線中反物質存在的情況。為此，人們想方設法把探測器送上大氣的最高層，並一直希望能將探測器送到太空。

過去，人們多次用高空氣球把高能反物質望遠鏡等探測器送到高空，探測宇宙射線中的正電子與反質子，但收穫不大，從未發現過比反質子更重的反原子核。現在，隨著航太技術的發展，到太空中去尋找反物質的願望終於可以實現了。

一九九八年六月三日六時十分（臺灣時間），美國「發現號」太空梭載著阿爾法磁譜儀，從甘迺迪太空中心發射升空。「發現號」太空梭的成功發射，標誌著探索宇宙反物質的重大科學實驗的開始。值得一提的是，阿爾法磁譜儀是由諾貝爾物理學獎得主、美籍華裔物理學家丁肇中教授主持研製的。

這一次為期十天的航太實驗證明，阿爾法磁譜儀經受住了發射升空時的劇烈震動，和嚴酷的太空工作環境的考驗，運行狀況良好。更重要的是，它捕捉到許多由次宇宙射線發出的帶電粒子的蹤跡。

按照預定的計畫，二〇一〇年七月，阿爾法磁譜儀被裝載到阿爾法國際空間站上，進行長達三年的反物質空間探測。

人們如此熱切地探求反物質，其目的不僅在於要證實理論的正確與否，而更實際的則是獲取巨大的能量。

任意半噸物質與半噸反物質相遇，發生「湮滅」所放出的能量將是燃燒一噸煤所釋放能量的三十億倍。只要用正、反物質各一噸發生「湮滅」，所產生的能量就可以解決全世界一年所需的能量。而且「湮滅」後不留殘渣和任何有害氣體。因此，反物質是極乾淨的超級能源，同時更是最理想的宇宙航行能源。

據計算，十毫克的反質子只有一粒鹽那麼大，卻可以產生相當於二百噸化學液體燃料的推進能量。透過這些能量，可以輕而易舉地將巨型航天器送入太空。

科學家們設想造一艘頭部裝一面巨大的凹面反射鏡的光子巨船，要使飛船開動時，就將燃料庫中的物質和反物質分別有控制地輸送到凹面鏡前，讓它們在凹面鏡前的適當位置接觸、「湮滅」，再轉化為極其強烈的伽馬射線，即光子流。

這種光子流被凹面鏡反射出去，產生巨大的反作用力，就像氣體從火箭噴口噴出一樣，推動飛船前進，實現星際航行。

儘管至今我們仍不能確定宇宙中有反物質，但我們也不能過早予以否定。相信經過科學家的不斷探索，反物質的謎題終將被破解。

阿爾法磁譜儀

阿爾法磁譜儀的英文名字是Alpha Magnetic Spectrometer，簡稱 AMS，它主要由上下各兩層的閃爍體、永磁體、緊貼永磁體內壁的反符合計數器、內層的六層矽微條探測器，以及契倫科夫探測器等各種探測器組成。

神秘的暗物質

什麼是暗物質？暗物質（包括暗能量）被認為是宇宙研究中最具挑戰性的課題，它代表了宇宙中百分之九十以上的物質含量，而我們可以看到的物質只佔宇宙總物質量的百分之十不到。一九五七年諾貝爾物理學獎的獲獎者李政道更是認為暗物質佔了宇宙總物質量的百分之九十九。暗物質無法被直接觀測到，但它卻能干擾星體發出的光波或引力，因而其存在能被明顯地感受到。

太陽系和銀河系有一個共同點：它們的中心都有著巨大的質量，密度都非常大，圍繞中心運轉的天體大致都位於一個平面上。一顆行星距離質量巨大的太陽越遠，它圍繞這個中心天體運轉的速度就越慢。天文學家在研究銀河系的時候，也預期得到類似的結果：一顆星星距離圓盤的中心越遠，它圍繞圓盤中心運動的速度就應該越慢。可是實際情況並非如此，因為圓盤外沿的星星運動速度非常快。人們只能這樣解釋這個現象：在銀河系中存在的物質比預想的多得多，即除了看得見的星星和氣體星雲之外，一定還存在著數量驚人的暗物質。

最早提出證據並推斷暗物質存在的科學家，是美國加利福尼亞州工學院的瑞士天文學家弗里茨·茲威基。二○○六年，弗里茨·茲威基利用錢德拉 X 射線望遠鏡對星系團 1E0657-56 進行觀測，無意間觀測到星系碰撞的過程，星系團碰撞威力之猛，使得黑暗物質與正常物質分開，這便成了暗物質存在的直接證據。

那麼，暗物質又是由什麼組成的呢？很多科學家認為，暗物質幾乎完全由未知的基本粒子組成。因此，最有可能的是，在銀河系的邊緣存在著很多小的黑洞。

還有一些天文學家認為，暗物質可能是由大量的中微子構成的。中微子的質量很小，是組成基本自然界最基本的粒子之一。也有人推測，棕矮星最終也會變成暗物質。棕矮星是這樣一種天體：在形成時，它們的質量決定了它們的中心不能發生核聚變，因此，它們不會變成發光的恆星，而是在形成之後逐漸冷卻。這樣，我們就很難觀察到它們。

有關暗物質探索依然是現今宇宙探索課題中的熱門話題，相信在未來，科學家們一定能解開這個謎題。

大恆星是怎樣形成的

大恆星也叫大質量恆星，它是一個相對的概念，宇宙學中，人們將質量大於太陽質量四倍以上的恆星叫做大恆星。目前科學家計算出來的太陽的質量約為 1.989×10^{30} 公斤。有些大恆星的質量甚至是太陽質量的一百倍以上。然而，讓人難以想像的是，這些龐然大物究竟是如何形成的呢？

一些科學家認為，大恆星是在擁擠的恆星形成區中，靠吞噬較小的原恆星（處於「原始狀態」的恆星，由「大爆炸」後產生的星際雲演變而來）而迅速「成長」起來的。不過，科學家們的一項新的發現卻指出，大恆星是在一片由星際氣體雲構成的盤狀吸積（吸積是指致密天體由引力俘獲周圍物質的過程）中，透過引力坍縮形成的。

針對以上兩種觀點，哈佛大學史密森天體物理中心的天文學家尼莫斯・帕特爾說：「我們已經發現了大質量恆星周圍存在吸積盤的一個明確例證，這支持了後一種觀點。」帕特爾和同事們研究了一顆質量大約為太陽十五倍的年輕原恆星，它位於仙王座方向，距離地球超過二千光年。他們發現，一個扁平的物質盤圍繞著這顆原恆星旋轉。這個物質盤包含的氣體質量相當於太陽的一到八倍，向外延伸到四百八十億公里以外。這個物質盤的存在，為引力坍縮提供了明確的證據。因為當一個自轉的氣體雲坍縮，變得更密集、更緊湊時，一個氣體盤就會形成。這證明這個原恆星的形成過程與太陽的形成過程相同。

研究小組還在仙王座A恆星形成區域的一顆大質量原恆星HW2的周圍，檢測到了一個引力束縛盤。另外，射電觀測還在 HW2 的周圍，發現了一個離子氣體雙瓣噴流，這是在小質量原恆星周圍經常被觀測到一種外流。科學家們認為，吞併小質量原恆星無法形成一個環繞恆星的盤和一個雙瓣噴流。所以，觀測結果恰好證明大質量恆星是透過盤狀吸積，而不是吞併一些小質量原恆星形成的。

儘管以上的兩種觀點都有充分的觀測和理論依據，但它們都存在著不足之處，所以現在還不能確定哪一種觀點完全正確。但是，探索宇宙之路是永無止境的，相信終有一天，人類會揭開有關恆星形成的奧秘。

恆星爆炸的秘密

多年來，科學家們認為，超新星是大質量恆星耗盡核心燃料後，在自身重力的作用下發生引力坍縮而形成的。但是，引發恆星爆炸的能量究竟從何而來？這個問題直到現在還是一個謎。

二〇〇五年，人們對恆星爆炸的研究有了新的進展，美國亞利桑那大學的一個研究小組提出這樣的觀點：坍縮恆星內部產生的聲波，蘊含著足夠轟開整顆大質量恆星的能量。當恆星核心的密度與中子星的密度相同時，核心會產生激波。在傳統觀點中，這種激波是由核心湧出的大量中微子所激發的，也就是所謂的中微子機制。但是，中微子可以輕易地穿透物質，以至於它們幾乎無法將動量注入激波之中。也就是說，激波無法獲得足夠的能量，它們在還沒有把恆星轟成碎片之前就消散了。

研究者發現，如果中微子無法完成任務，另一種機制就會出來頂替。當核心劇烈振蕩時，下落物質的引力能會轉化為聲波。在聲波向外傳遞的過程中，它們會相互衝擊，融合成一個強大的激波。這個激波擁有強大的能量和動量，足以炸掉整顆恆星，這就是聲波機制。

研究還聲明，隨著聲波產生的激波撕開恆星的包層，它所創造的環境可以使得較輕的元素聚合起來，形成更重的元素，如金和鈾。而且，在這種機制下產生的超新星遺跡是非對稱的，這一特點也經常被科學家們觀測到。這證明，從恆星內部產生的聲波完全有可能會引發激波，並給它注入能量，使它得以炸掉整顆恆星。但是，研究小組並沒有完全反對中微子機制，他們認為，中微子機制至少對一部分恆星是適用的。如果它無法工作，聲波機制就會接手，炸掉這顆恆星。

美國得克薩斯大學奧斯汀分校的一個研究小組也贊成聲波機制這一說法。不過他們認為，聲波是靠核心磁場的衝擊產生的。

雖然恆星爆炸的能量來源仍是天體物理學尚未解決的重大問題，但以上這些新觀點的提出，多少給問題的解決帶來了曙光。希望有一天，人們能徹底解開這個宇宙謎團。

中子星和脈衝星

現代恆星演化理論認為，中子星是超大質量恆星爆炸形成超新星時殘留的內核，它是密度非常高的天體。典型中子星的直徑為二十公里，質量與太陽的質量大致相當。這樣，可以計算出它的密度約為一千零一十一公斤／立方公分。

天文學家推測中子星形成的過程是這樣的：一顆質量比太陽大的恆星在爆發坍縮過程中，產生了超強的壓力，這使它的物質結構發生巨大的變化。首先，這顆恆星中的原子（由原子核和電子組成）被壓破，原子核也沒能倖免。原子核由質子和中子組成，當原子核被壓破後，其中的質子和中子便被擠出來。然後，質子和外面的電子擠到一起結合成中子。最後，所有的中子擠在一起，就形成了中子星。中子星形成後，自轉速度不斷加快，最後達到每秒幾圈到幾十圈。同時，收縮使中子星成為一塊極強的「磁鐵」，這塊「磁鐵」的某一部分會向外發射電波。當它快速自轉時，電波就像燈塔上的探照燈那樣，有規律地不斷地掃向地球。天文學上，把這種高速自轉的中子星稱為「脈衝星」。

脈衝星最早是在一九六七年，由英國劍橋大學休伊什教授的研究生貝爾小姐發現的。當時，她發現在狐狸座內有脈衝信號的一顆星發出一種周期性的電波。這一發現馬上引起了科學家們的關注，經過仔細分析，科學家認為這是一種未知的天體。因為這種星體不斷地發出電磁脈衝信號，人們就把它命名為脈衝星。脈衝星的發現，為確定中子星的存在提供了重要的證據。

迄今為止發現的最大的中子星

二〇一〇年十月，美國和荷蘭科學家稱他們在三千光年外的一個雙星系統裡，發現了迄今質量最大的中子星。這顆中子星命名為 PSR J1614-223。它的大小與一個小城市差不多，相對而言並不算是一個大的星球，但其質量卻有太陽的兩倍大，並且密度高得驚人，它上面極少量物質的質量就高達五億噸！

宇宙射線從哪裡來

宇宙射線，指的是來自宇宙中的一種具有相當大能量的帶電粒子流。一九一二年，德國科學家韋克多·漢斯帶著電離室乘坐氣球升空，進行測定空氣電離度的實驗，發現電離室內的電流隨海拔升高而變大，從而認定電流是來自地球以外的一種穿透性極強的射線所產生的，於是有人為之取名為「宇宙射線」。觀測表明，宇宙射線主要是由質子、氦核、鐵核等組成的高能粒子流，這其中也包含了能穿過地球的中微子流。它們在宇宙空間得到加速和調製，其中的一些最終會穿過大氣層到達地球。

人們根據宇宙射線能量的高低，將它分為高能宇宙射線和低能宇宙射線兩大類。宇宙射線能引發許多目前無法用人工實現的核反應和基本粒子轉變，而且它還可能與太陽、某些恆星的活動以及各種地球物理現象有密切關係，所以人類加強對宇宙射線的研究是有必要的。

然而一直到現在，科學家們都沒有完全找到宇宙射線的來源。有一種觀點認為，宇宙射線的產生可能與超新星爆發有關。支持這一觀點的科學家認為，宇宙射線產生於超新星大爆發的時刻，「死亡」的恆星在爆發時會放出大能量的帶電粒子流，射向宇宙空間。另一種說法則認為，宇宙射線來自於爆發之後的超新星殘骸。

二〇〇七年，來自十七個國家的三百七十多名科學家在阿根廷的皮埃爾·奧格天文臺進行長期觀察後，得出了這樣一個結論：宇宙射線可能是由位於鄰近星系心臟地帶的巨大黑洞放射出來的。因為，這些射線在宇宙中並沒有均勻分佈。相反，它們似乎是來自物質密集的星系中心地帶，而那裡正是黑洞的所在地。另外，黑洞周圍的磁場也許會提高宇宙射線的速度，這可以解釋為什麼宇宙射線會有如此大的能量。

基於對皮埃爾·奧格天文臺所觀測數據的權威性，一些科學家對宇宙射線是由位於鄰近星系心臟地帶的巨大黑洞放射出來的這一結論表示了認可。但要徹底揭開宇宙射線來自哪裡這一謎團，還有待進一步探索。

宇宙塵埃來自哪裡

在廣袤的宇宙空間，除了有各種各樣的恆星、大行星、彗星、小行星等天體之外，還存在著大量的塵埃，它們是飄浮於宇宙空間的岩石顆粒與金屬顆粒。科學家進行分析後認為，它們的物質組成和地球並沒有太大的區別。但出於種種原因，這些塵埃並不能聚合成一顆星體，而是呈顆粒狀懸浮在宇宙空間。

多年來，宇宙塵埃的來源一直是個難解的謎。一種說法認為，宇宙塵埃來源於溫度相對較低、燃燒過程比較緩慢的普通恆星。這些塵埃透過太陽風被釋放出來，然後再散佈到宇宙空間。

然而，一些科學家對太陽風所含物質的密度進行研究後發現，太陽風並不能提供足夠密度的宇宙塵埃。因此，另一種猜測認為，宇宙塵埃很有可能來自於超新星的爆發。根據英國科學家對銀河系內最年輕的超新星「仙后座A」所進行的觀測，發現它爆發後的殘留物所在的區域內，存有著大量的冷塵埃，其質量可能為太陽的四倍。這些科學家認為，如果所有的超新星爆發都按照這種規模向外噴發宇宙塵埃的話，基本可以達到目前宇宙中所擁有的宇宙塵埃的總數量。因此，他們認為超新星爆發可能就是宇宙塵埃的來源。

天文學家們使用斯必澤太空望遠鏡、哈勃太空望遠鏡和位於夏威夷的北雙子座望遠鏡，進行了新一輪的觀測分析。其中，美國空間望遠鏡科學協會的本·蘇根曼博士和同事發現，在超新星SN2003gd（一種大型Ⅱ型超新星）的殘骸中存在著大量的熱塵埃。科學家們由此宣稱，宇宙塵埃可能來自Ⅱ型超新星。這個觀點的提出使得宇宙塵埃的來源顯得更加準確。

但是，有一部分科學家對這一觀點持保留態度。他們認為，目前我們人類對宇宙塵埃形成的研究還不完善，實際觀測結果也存在著需要繼續考證之處。所以，想要徹底解開宇宙塵埃的來源之謎，還有很長的路要走。

探索太陽系

萬物生長靠太陽，地球上所有生物的生長都直接或間接地需要太陽所提供的光和熱。然而，太陽作為太陽系的中心，在浩瀚的宇宙中幾乎談不上有什麼特殊性。組成銀河系的有大約兩千億顆恆星，而太陽只是其中中等大小的一顆。人類對太陽系的探索研究已有了上千年的歷史，也取得了較大的成果，但仍無止境。

認識太陽系

當人類剛剛開始探索宇宙的時候，一度以為地球是宇宙的中心，宇宙中的天體，包括太陽在內，都圍繞地球運行。這種說法即「地心說」，也稱「天動說」。一五四二年，波蘭天文學家哥白尼完成了他的著作《天體運行論》。他在此書中提出了「太陽中心說」，指出地球和其他行星都繞著太陽運行，而月球則繞地球運行。哥白尼雖然沒有提到「太陽系」這個詞，但其著作中卻體現了太陽系的理論。

現在我們知道，在太陽系中，有八顆大行星、上百顆已知的衛星、一些已經辨認出來的矮行星，以及無數顆小行星、彗星、流星和星際塵埃等。太陽是整個太陽系的中心，它用自己巨大的引力，使這個系統內部的其他天體各就其位。這些天體圍繞著太陽高速運轉，這樣就不會因為太陽的引力而落到太陽上去。

可是為什麼這麼多天體要圍繞太陽旋轉呢？根據牛

頓的「萬有引力定律」，我們了解到所有的物質都有引力，其中也包括各種星體。星體的質量越大，其具有的引力就越大。在太陽系中，太陽的質量是最大的，大約佔了整個太陽系總質量的百分之九十九點八六。就因為太陽是如此之重，才能使八大行星一直繞著它旋轉。據科學家測算，太陽對地球的引力可以達到3.57×10^{22}牛頓。

太陽系中的八大行星按照距太陽由近及遠的順序分別是：水星、金星、地球、火星、木星、土星、天王星、海王星。它們從太陽那裡獲得光和熱，大致上，離太陽較近的行星，表面溫度高一些，離太陽較遠的行

星，表面溫度低一些。

地　心　說

地心說最初由古希臘學者歐多克斯提出，經亞里士多德完善，又經托勒密進一步發展。亞里士多德的地心說認為，宇宙是一個有限的球體，分為天地兩層，地球位於宇宙中心，所以日月圍繞地球運行，物體總是落向地面。地球之外有九個等距天層，由裡到外的排列次序是：月球天、水星天、金星天、太陽天、火星天、木星天、土星天、恆星天和原動力天，此外空無一物。

太陽系的起源

太陽系的起源問題一直是歷代科學家探索的焦點，他們提出了一種又一種的假說，累計起來，已經超過四十種。其中影響比較大的，主要有以下幾種觀點：

十八世紀時，德國哲學家康德提出了「星雲說」。他認為，整個太陽系的物質都是由同一個原始星雲形成的，星雲的中心部分形成了太陽，外圍部分則形成了行星。

在康德提出「星雲說」幾十年後，法國數學家拉普拉斯在康德的基礎上提出了自己的觀點。他認為，原始星雲是氣態的，且灼熱無比。它迅速旋轉，先分離成圓環，圓環凝聚後才形成了行星，因而，太陽的形成要比行星稍微晚些。儘管康德與拉普拉斯的觀點有所區別，但大前提是一致的，因此人們便把這兩人的觀點統稱為「康德－拉普拉斯假說」。

然而，「康德－拉普拉斯假說」無法解釋太陽和行星之間的動量矩的分配問題，因此在二十世紀初，「災變說」盛行起來。這一假說認為，行星是某種偶發事件引起的劇變而形成的。最早的災變說是法國動物學家布豐在一七四五年提出的。他認為，太陽比行星先形成，太陽形成後，有一個彗星「掠碰」（擦邊而過）到它，使太陽自轉起來，同時還碰出了不少物質。這些物質一部份落回太陽，一部分脫離太陽的引力飛走了，還有一部份則繞太陽旋轉起來，後來形成了行星。根據我們現在對彗星的認識，這種觀點顯然是不成立的，但在布豐的時代，彗星被認為是質量巨大的天體。

從十九世紀七〇年代到二十世紀五〇年代，出現了二十多種災變說。這些說法的共同特點是仰仗二顆或三顆恆星（其中有一顆是太陽）的彼此接近或碰撞來解釋行星的起源。但是後來人們發現，它們至少有三大難題：一、恆星間的接近或碰撞概率極小，難以說明有眾多日外行星系存在。二、即使發生碰撞，從恆星中分離出的物質擴散的速度遠大於凝聚速度，難以形成行星。三、計算表示，這種模式同樣解釋不了動量矩的分配問題。因而，災變說二十世紀五〇年代後逐漸走向衰落。

太陽系起源學說中，「俘獲說」也是得到較多支持的一種說法。這一假說認為，太陽在星際空間運動時，遇到了一團星際物質，它就靠自己的引力把這些物質據為己有。後來，這些物質在太陽引力的作用下加速運動，像滾雪球一樣越滾越大，最後就逐漸形成了行星。

儘管以上各種假說都有足夠的觀測、計算和理論依據，但始終不能全面解釋太陽系形成的過程。因此，有關太陽系的起源問題，到現在都還是一個未解之謎，並沒有確切的答案。

太陽系中的典型成員

太陽系由太陽、行星及其衛星與環系、小行星、彗星、流星體和行星際物質構成，下面簡單介紹一下太陽系的幾個主要成員：

太陽：它是太陽系中唯一的一顆恆星，相對於太陽系內其他天體來說，它是靜止的。太陽自身能發光發熱，質量和體積比其他天體大得多。

行星：目前大多數天文學家認為，如果一個天體被定義為行星，那麼它必須符合三個條件。首先，必須是圍繞恆星運轉的天體；其次，它的質量必須足夠大，自身的引力必須和自轉速度平衡使其呈圓球狀；再次，它能夠清除其軌道附近其他天體。太陽系裡有八大行星。

矮行星：它是二〇〇六年八月二十四日國際天文學聯合會重新對太陽系內天體分類後新增加的一組天體，此定義僅適用於太陽系內。簡單來說，矮行星是介於行星與太陽系小天體之間的一類天體，代表有冥王星、厄里斯星。

小行星：是指體積小，從地球上用肉眼看不到的小型天體，主要集中在火星和木星軌道之間的小行星帶中，以及太陽系邊緣的柯伊伯帶中。

彗星：外形和結構比較特殊，它們常常會拖著一條掃帚狀的長尾巴，體積很大，密度很小。

流星：分佈在星際空間的細小物體和塵粒叫做「流星體」。它們飛入地球大氣層，跟大氣摩擦產生了光和熱，最後被燃盡成為一束光，這種現象叫「流星」。

衛星：通常指環繞行星並按一定的軌道做周期性運動的物體，可指人造衛星和天然衛星，在這裡我們說的是後者。在太陽系的八大行星中，只有水星和金星沒有衛星，其他大行星都有。

被「降級」的冥王星

冥王星起初被認為是太陽系中的第九大行星，但是二〇〇六年八月二十四日於布拉格舉行的第二十六屆國際天文學聯合會通過第五號決議，將冥王星劃為「矮行星」。

太陽的「斑點」——太陽黑子

科學家們透過觀測發現，太陽的光球層常常會出現一些黑色的「斑點」。這些「斑點」實際上是太陽表面氣體的旋渦，從地球上看，它們像是太陽表面上的黑斑，所以人們叫它們「太陽黑子」。太陽表面的溫度為六千℃，黑子的溫度在四千℃左右，比周圍低了二千℃，因此看起來比較暗。

太陽黑子是太陽活動中最基本、最明顯的活動現象，早在幾千年前，天文學家就已經觀測到它們了。太陽黑子的形成與太陽磁場有密切的關係，但到底是如何形成的，目前天文學家還沒有找到確切的答案。

黑子是由本影和半影構成的，本影就是特別黑的部份，半影不太黑，是由許多纖維狀紋理組成的。黑子很少單獨行動，常常成群結隊地出現。當大黑子群具有旋渦結構時，就表示太陽上將會發生劇烈的變化。每年，黑子活動的劇烈程度是有強弱之分的，如果是黑子活動極為劇烈、黑子數達到極大的一年，就叫做「太陽活動極大年」或「太陽活動峰年」；如果這一年黑子數極小，那麼就叫做「太陽活動極小年」或「太陽活動谷年」。

黑子的活動是有周期性變化的，這個周期為十一點二年。在每個周期開始的前四年左右的時間裡，黑子不斷產生，越來越多，達到高峰。在隨後七年左右的時間裡，黑子活動逐漸減弱，黑子也越來越少，達到太陽活動極小年，此後下一個周期開始。

最早的太陽黑子記錄

西漢劉安所著的《淮南子》中有這樣的記載：「日中有踆烏，而月中有蟾蜍……」這是目前已知的世界上最早關於太陽黑子的記錄。《漢書・五行誌》中對西元前二十八年出現的黑子記載則更為詳盡，書中寫道：「河平元年……三月己未，日出黃，有黑氣大如錢，居日中央。」這裡所說的「黑氣」即太陽黑子。

色球上的太陽活動

色球層厚約二千公里，密度比光球要稀薄，溫度由內向外驟升，內外溫差高達幾萬攝氏度。平時，我們用肉眼根本看不到它，只有發生日全食時，才能在月輪的邊緣看到一絲纖細的紅光，那就是色球的光輝。

色球上有許多針狀物，就像太陽表面跳動的小火苗，叫做「目針」。目針的壽命一般只有十分鐘，且新舊交替非常迅速，肉眼幾乎看不出它們的更迭變化。色球上還經常會出現一些暗的「飄帶」，我們稱之為「暗條」。當暗條轉到日面邊緣時，看起來像一隻耳朵，人們俗稱它為「日珥」。日珥的形態千變萬化，根據日珥的形態和運動特徵，人們將它分為寧靜日珥、活動日珥、爆發日珥、黑子日珥、龍捲日珥、冕珥六大類。

色球上還有些局部明亮的區域，我們稱為「譜斑」。有人認為它是光球上的光斑到達色球的產物。有時譜斑亮度會突然增強，這就形成了我們通常說的「耀斑」。

耀斑是太陽上最為強烈的活動，一般認為它出現在太陽的色球層，因此也叫它「色球爆發」。耀斑多出現在黑子區的上空，特別是在太陽活動峰年，耀斑出現得更頻繁，強度更大。

耀斑出現的時間大都很短，平均每次為幾分鐘，最長也只能達到幾十分鐘。從表面看，耀斑只是一個亮點，實際上它一旦出現就是一次驚天動地的大爆發。它每次釋放的能量都大得驚人，最大相當於一百萬噸氫彈威力的一萬億倍！耀斑出現時還伴有許多輻射，以及衝擊波和高能粒子流，甚至還有能量極高的宇宙射線。

耀斑爆發時，發出的大量高能粒子到達地球軌道附近時，會嚴重破壞地面無線電通信，尤其是短波通信，電視臺、電臺廣播會受到干擾甚至中斷。

美國國家氣象局的專家稱，太陽耀斑引發的太陽風暴攜帶大量帶電粒子接近地球，可觸發地球磁暴，干擾甚至中斷衛星通信和無線電通信以及全球定位系統運行，影響包括飛機在內的飛行器，嚴重時甚至可影響電網正常供電。

太陽的分層結構

太陽從中心到邊緣依次分為四個層次，它們分別為：核反應層、輻射層、對流層和太陽大氣。核反應層是發生熱核反應的區域，也是太陽巨大能量的源泉。核心產生的能量透過輻射、對流的方式傳到太陽的表面，也就是太陽大氣中。太陽大氣是由三個層次構成的，由裡到外分別是光球、色球和日冕。太陽大氣各個層次有各自不同的特點，也有不同的太陽活動現象。

太陽大氣的最外層——日冕

在日全食的短暫瞬間，人們常常可以看到，在太陽周圍除了絢麗的色球外，還有一大片白裡透藍、柔和美麗的暈光，這就是太陽大氣的最外層——日冕。日冕的溫度極高，最高可以達到上百萬攝氏度。日冕層的大小、形狀很不穩定，與太陽黑子的活動密切相關。在太陽黑子活動劇烈的年份，日冕呈圓形，向外伸展得很遠；在太陽黑子活動較弱的年份，日冕就會變成扁圓形。

日冕裡的物質非常稀薄，會向外膨脹運動，並使得熱電離氣體粒子連續從太陽向外流出而形成太陽風。太陽風不同於地球上的自然風，它溫度高達十萬℃，且具有超強電磁輻射。

因為太陽風是一種等離子體，所以它也有磁場，太陽風磁場對地球磁場施加作用，好像要把地球磁場從地球上吹走似的。儘管這樣，地球磁場仍有效地阻止了太陽風的「長驅直入」。在地球磁場的反抗下，太陽風繞過地球磁場，繼續向前運動，於是形成了一個被太陽風包圍的地球磁場區域，這就是磁層。當太陽風吹到地球地磁極（在南北極附近）的時候，就會沿著磁場沉降，進入地球的兩極地區，轟擊那裡的高層大氣，激發其中的原子與分子，從而產生美麗的極光。在地球南極地區形成的極光叫南極光，在北極地區形成的則叫北極光。

太陽風的增強會嚴重干擾地球上無線電通訊及航太設備的正常工作，還會損害人造衛星上精密的電子儀器，使地面電力控制網絡發生混亂。因此，準確預報太陽風的強度對航太工作極為重要。

太陽風暴

太陽會在太陽黑子活動的高峰時產生太陽風暴，又稱太陽風。最初太陽風是由美國「水手二號」探測器於一九六二年首次發現的，它是太陽因能量的增加而使得自身活動加强，從而向廣袤的空間釋放出大量帶電粒子所形成的高速粒子流，科學家把這一現象比喻為太陽「打噴嚏」。

既神秘又奇特的日蝕現象

當月球運動到地球和太陽中間時，太陽光被月球擋住，不能照射到地球上來，這種現象就叫「日蝕」。當太陽全部被月球擋住時叫「日全蝕」，部份被擋住叫「日偏蝕」，中間部份被擋住叫「日環蝕」。當日輪的西邊緣與月球的東邊緣相切時，日蝕剛開始叫「初虧」；月球的東圓面與日輪的東邊緣相內切時叫「日既」；日月兩圓面中心最接近時叫「蝕甚」，是日蝕的最高峰；兩圓再次內切是「生光」；最後兩圓再外切就復原了。

日蝕

發生日蝕時，在月球即將把日輪全部掩住，或是月球即將離開日輪的瞬間，月球的邊緣就會有一個或幾個山谷和凹地成為月輪的缺口，太陽光穿過缺口射向地球，會形成一個或一串發光的亮點。這種現象是由英國天文學家貝利首先做出詳細解釋的，所以後人把這些發光的亮點稱做「貝利球」。

觀察日蝕的正確方法

日蝕是可以用肉眼進行觀測的，當然，在太陽只有部份虧缺時，陽光依然會很刺眼，因而觀測時必須考慮有效的減光對策，千萬不要直接用肉眼去看太陽。可以採用以下幾種辦法進行觀測：

一、找一個盆，裡面盛滿水，再倒入些墨汁搖勻，發生日蝕的時候，從盆裡看太陽的倒影。這是一種最簡單易行的方法。

二、找一塊玻璃板，用點燃的蠟燭把它完全熏黑，發生日蝕的時候，隔著這塊熏黑了的玻璃板看太陽。

三、找幾張廢舊的照相底片，把它們重疊起來，日蝕的時候隔著這些底片看太陽。這種方法可以根據太陽光的強弱隨時增減底片張數，還可以裝在自己製作的眼鏡框上，使用起來很方便。

四、用望遠鏡進行觀測，但不要直接透過望遠鏡看太陽，否則會灼傷眼睛。用望遠鏡觀測日蝕，要事先找幾張照相底片，剪成合適的形狀裝在物鏡的前面。要注意裝牢，防止移動望遠鏡的時候因底片滑落而灼傷眼睛。

太陽的能量來自何處

太陽是地球萬物生長的動力源泉，它每時每刻都在向外釋放著巨大的能量。可是，太陽的能量是從哪裡來的呢？

美國科學家埃迪根據英國格林尼治天文臺自一八三六年到一九五三年的測量數據推算，發現太陽的角直徑並非固定不變，而是在不斷地縮小，並得到每百年縮小二點二五角秒（角度制單位：一度=三千六百角秒）的準確結論。另外，他根據美國海軍天文臺從一八四六年以來一百多年間的觀測資料推算，也得出了太陽正在收縮的結論。

經過大量的觀察研究，科學家們認為，太陽每一百年收縮百分之零點一可能性較大。於是有人提出，太陽之所以能夠釋放出巨大的能量，是因為它在引力作用下不斷收縮的緣故。

但是也有科學家認為，太陽的能量來源於自身的核聚變。因為太陽是一個大質量天體，當這樣的天體不斷收縮並發熱時，核聚變反應就會產生高溫並向其周圍輻射能量。太陽之所以能如此長久而猛烈地向宇宙空間輻射能量，是由於它擁有大量能進行核聚變的物質。當這些物質燃燒完後，太陽的能量就會逐漸消失。

雖然這種觀點已經得到了大部份人的認同，但仍有一些根本性的問題沒有得到解決。比如：產生核聚變反應的物質從何而來？因此，太陽能量來源之謎，還有待科學家們的進一步探索。

太陽上有多少種元素

在日全蝕的時候，我們能夠看到一股股巨大的火焰從色球層升騰而起，有時候可以上升到一百萬公里那麼高。這個火焰就是「日珥」。一八六〇年七月十六日，西班牙發生日全蝕，許多天文學家畫下了自己看到的日珥形象，但是大家並不明白日珥中有些什麼東西。

一八五八年，法國化學家本生在做實驗時，偶然發現不同的物質燃燒時能發出顏色各異的光。於是，他進一步研究，試圖總結出規律來，讓人們以後能從焰色判斷出該物質含有何種元素。但因為有很多種元素對應的焰色基本相同，難以看出差別，所以本生的實驗遇到了難題。後來，他的物理學家朋友基爾霍夫幫了忙。基爾霍夫想：牛頓曾用三稜鏡分析出太陽光有七種顏色，後來德國光學專家方和斐又用磨製的石英三稜鏡詳細研究了太陽光和各種燈光的光譜，所以與其費神地去觀察火焰的顏色，何不去觀察各種火焰的光譜呢？說幹就幹，本生和基爾霍夫一起將普通三稜鏡和石英三稜鏡組合並加以改進，做成了一臺「分光鏡」。他們用分光鏡做了一些實驗，根據光譜準確地判斷出幾種化學物質。這個實驗的成功，也意味著一種新的化學分析方法——光譜分析法創立了。

天文學家預測，一八六八年八月十八日，印度將發生一次日全蝕。本生早早帶著分光鏡來到了印度。日全蝕發生時，他從分光鏡裡看見日珥光譜中有條陌生的黃色譜線。這條黃線非常明亮，當時的化學家和物理學家都沒有見過，也不了解它。第二天，日珥早就淹沒在耀眼的太陽光中。本生又把分光鏡對準了太陽邊緣上昨天看見日珥的地方。果然，這條明亮的黃線再次出現了。他立即寫信向法國科學院報告自己的發現。但是他的信在路上走了兩個多月，十月二十六日才到巴黎。就在收到本生來信的同一天，法國科學院還收到了英國天文學家洛克耶十月二十日寫的一封信，原來他在英國也發現了日珥光譜中有這樣一條明亮而陌生的黃線。這條黃線跟當時已知的所有化學元素的譜線都不相同，因此它必定是由一種人類還沒有發現的元素發出的。洛克耶把它命名為「氦」，意思就是「太陽元素」，因為它首先是在太陽上被發現的。

後來，人們在地球上也發現了氦元素。透過長期的觀測，科學家們發現，太陽上元素最多的是氫和氦，比較多的元素有氧、碳、氮、氖、鎂、鎳、硫、硅、鐵、鈣等十種，還有六十多種含量極其稀少的元素。到二十世紀八〇年代，科學家們認定太陽上有七十三種元素。此外還有十九種元素有存在的可能，其中包括九種放射性元素。

太陽上到底有多少種元素，相信隨著探測技術的進步，一定會得到一個確切的數據。

解析八大行星

水星、金星、地球、火星、木星、土星、天王星、海王星被稱為太陽系的八大行星，它們是太陽系的重要組成部份。八大行星都沿著固定的軌道繞太陽公轉、自轉。然而到目前為止，我們只發現地球上有生命跡象，這是什麼原因造成的呢？科學家們正在積極探索這一問題，相信不久的將來，人類一定能解開這個謎題。

藍色的星球——地球

地球是我們的家園，它是一顆神奇的星球。人類探索宇宙已有上千年的歷史，但迄今為止，仍然未發現任何一顆星球像地球一樣具有適宜生物生長的環境。地球這顆有著廣闊天空和藍色海洋的行星，始終給人堅實巨大的感覺。而在宇宙中，地球給人的印象卻並非如此：這個在一層薄而脆弱的大氣籠罩下的星球並不見得有多大。在太空中，地球的特徵是明顯的：漆黑的太空、藍色的海洋、棕綠色的大塊陸地和白色的雲層。

地球

地球是距離太陽第三遠的大行星，距太陽大約有一億五千萬公里。地球繞太陽運行一圈所需要的時間，即公轉周期為三百六十五點二五天，自轉周期為二十三小時五十六分四秒。地球公轉、自轉的方向一致，都是自西向東。地球的直徑約為一萬兩千七百五十六公里，體積在八大行星中排第五。

地球表面有百分之七十以上被水覆蓋，從空中來看，地球是個藍色的星球。地球上的總水量雖然很多，但真正能為人類生活所用的極少。地球總水量的百分之九十七左右均是海水，屬於鹹水，不能為人類直接利用。剩餘百分之三是淡水，但其中百分之二是高山和極地的冰雪，根本無法利用。真正能為人類利用的地下水、湖泊和江河淡水，僅佔地球總水量的百分之一左右。

地球內部可分為地殼、地幔和地核三大部份。地殼厚約三十公里，地幔厚約二千八百四十公里，地核厚約三千五百公里。每一部份又可細分：地核可分為外部液態地核和內部固態地核，地幔可分為上地幔和下地幔，地殼則可分為海洋地殼和大陸地殼。

地球是一個活躍的行星。根據板塊構造說，地殼由六大板塊構成，即亞歐板塊、非洲板塊、美洲板塊、太平洋板塊、印度洋板塊和南極洲板塊。這些板塊漂浮在熾熱的地幔上，並緩慢移動。板塊的運動方式基本有兩種：擴張和縮小。擴張運動表現為兩個板塊相互遠離，地下岩漿湧出形成新的地殼；縮小運動表現為兩個板塊相互碰撞，一個板塊鑽到另一板塊的下面，在地幔的高溫中逐漸消融。在板塊交界處常常存在許多巨大的斷層，地震頻繁，火山眾多。

地球有一個適合生物生存的大氣層。在這個大氣層中，氮氣佔百分之七十八，氧氣佔百分之二十一，剩下的百分之一是其他成分。地球初步形成時，大氣中存在有大量的二氧化碳，但是到今天，它們幾乎都被結合成了碳酸鹽岩石，少量溶入了海洋或被植物消耗掉了。地殼板塊構造運動與生物活動共同維持著二氧化碳的循環。大氣中仍然存在的少量二氧化碳帶來了溫室效應，這對維持地表氣溫極其重要。溫室效應使地球年平均氣溫從早期的零下二十一℃提高到了宜人的十五℃。倘若沒有這種自然的溫室效應調節氣溫，海洋將會結冰，生命將不復存在。而隨著社會的發展，人類將大量的二氧化碳排放到大氣中，過多的二氧化碳使溫室效應變得越來越嚴重，地表溫度持續升高。

地球快速的自轉與富含鎳鐵熔岩的地核共同形成了一個巨大的磁氣圈。在太陽風的吹拂下，磁氣圈的形狀被扭曲成水滴狀。它與大氣一同擔當了阻止來自太陽和其他天體有害射線的任務。地球的大氣還有一個重要的作用，就是阻擋了流星對地球表面的襲擊。流星在真空中飛行時速度極高，一般可達到每小時數萬公里。當它進入大氣層後，位於它前方的氣體會被急劇地壓縮。當氣體被壓縮時，溫度就會升高，從而把流星加熱到極高的溫度，燃燒直至燒光。流星進入大氣層後，溫度最高可達一千六百五十℃。正是因為流星在大氣層基本燃燒殆盡，地球表面才沒有像月球那樣坑坑窪窪地遍佈隕石坑。

人類開始太空探索後，我們對自己居住的行星有了更多的認識。第一顆人造地球衛星發現地球周圍有一個強烈的輻射區，現在我們把它叫做范艾倫輻射帶。這個輻射帶是宇宙中高速運動的帶電粒子，在赤道上空被地球的磁場俘獲而形成的一個環狀區域。曾經被認為非常平靜的上層大氣，其實是非常活躍的，它在太陽輻射的影響下遵循著熱脹冷縮規律。上層大氣的這些特性對地球的天氣系統有很重要的影響。

地球誕生之謎

地球是如何形成的？科學家們早在千百年前就開始探索這個問題了。隨著科學的進步，關於地球成因的學說已經多達十幾種，如「彗星碰撞說」、「隕星說」、「宇宙星雲說」、「氣體潮生說」、「雙星說」、「行星平面說」、「衛星說」等。

彗星碰撞說

「彗星碰撞說」是由法國生物學家布豐於十八世紀提出的。他認為，一顆闖向太陽的彗星，撞下了太陽表面的物質，使包括地球在內的行星得以形成。

一九七九年八月，美國的一顆人造衛星 P78-1 拍攝到，一顆彗星以五百六十公里／秒的高速，一頭栽入了太陽的烈焰中。十二小時以後，彗星就無影無蹤了。這一發現證明了宇宙間存在天體相撞的事實，因而，「彗星碰撞說」也就存在可能性了。

隕 星 說

「隕星說」最初是蘇聯學者施密特提出的。他認為，在遙遠的古代，太陽系中只存在一個孤獨的恆星——原始太陽，它在銀河系廣闊的天際沿固定軌道運行。距今約六十億至七十億年前，它穿過了一個巨大的黑暗星雲。走出黑暗星雲後，它已經不再是一個孤星了。在運行中，它不斷吸收宇宙中的隕石和塵埃團，數不清的塵埃和隕石相互吸引，逐漸聚集在一起，最後形成了一個龐大的行星——地球。

宇宙星雲說

該學說是法國天文學家拉普拉斯提出的。他認為，太陽是太陽系中最早存在的星體，剛剛誕生時的原始太陽比現在大得多。經過長期不斷冷卻和自身引力的作用，原始太陽的體積逐漸縮小，旋轉加快，形狀愈來愈扁。那些位於太陽邊緣的物質，特別是赤道部份，當離心加速度超過中心引力加速度時，便離開太陽，形成無數的同心圓狀輪環。由於環帶性質不均一，便出現了一些聚集凝結的團塊。這樣，在引力作用下，環帶中的殘餘物質都被凝固、吸引，最終形成了大小不一的行星，地球即是其中之一。

德國學者康德也認為，地球和太陽都是從一塊原始星雲中誕生的。原始星雲中的物質因為相互吸引而凝聚成球體，因互相排斥而繞星雲中心旋轉。但是，這一假說也有許多疑點。如果太陽系中的天體都是由一塊星雲收縮凝聚而成的，那麼所有的天體運行方向應該是一致的，而實際上，有些行星的衛星卻是逆行的。

氣體潮生說

這是英國物理學家金斯在一九三〇年提出來的。他推測，原始太陽是個灼熱的球狀體，一顆質量比它大得多的星體曾經從不遠處瞬間掠過原始太陽，其引力作用使原始太陽出現了凸出部份，並且在短時間內被拉成長條狀。隨後，那個較大的星體一去不復返，久而久之，太陽逐漸獲得新的平衡，並從中分離出長條狀的稀薄氣流。這些氣流逐漸冷卻、凝固而分成了許多部份，每一部份再聚集成一個行星。在被拉出的氣流中，最寬、密度最大的中部氣流形成了較大的木星和土星，而兩端的稀薄氣流形成了較小的行星，如水星、地球等。

以上種種說法，究竟哪一種更接近真相，我們不得而知。但隨著科學的發展，我們一定會有更多、更清晰的認識。

地球的年齡

推算地球年齡，主要有岩層方法、化石方法和放射性元素的衰變方法等。根據鑑定，地球上最古老的岩石，是在格陵蘭島西部戈特哈布地區發現的阿米佐克片麻岩，年齡約有三十八億歲。而太陽系的碎屑，年齡都在四十五億年到四十七億年之間。人們因此認為，包括地球在內的太陽系成員大都在同一時期形成。

地球為什麼會轉動

眾所周知，地球在一個橢圓形軌道上圍繞太陽公轉，同時又繞地軸自轉。然而，是什麼力量在驅使地球這樣永不停息地運動呢？地球最初又是如何運動起來的呢？

「第一推動力」

對於這個問題，英國科學家牛頓提出了「第一推動力」的觀點。他認為，是上帝設計並塑造了這完美的宇宙運動機制，且給予了第一次動力，使它們運動起來。在牛頓看來，整個宇宙天體的運動就像是上好了發條的機械時鐘，準確無誤，完美無缺。但是，用當代科學觀點來看，這顯然是違背基本科學原理的。

勢能轉變成動能

現代天文學理論認為，旋轉運動自始至終伴隨著地球的形成過程。要理解這一點，必須弄清楚地球和太陽系的形成原因。科學家們普遍認為，五十億年前，受某種擾動的影響，原始星雲在引力的作用下向中心收縮。經過漫長的演化，中心部份物質的密度越來越大，溫度也越來越高，終於達到可以引發熱核反應的程度，最後它就演變成了太陽。而太陽周圍的殘餘氣體則逐漸形成一個盤狀氣體層，它經過收縮、碰撞、捕獲、會聚，逐步聚集成固體顆粒、微行星、原始行星，最後形成一個個獨立的大行星和小行星等天體。

原始星雲在向扁平狀發展的過程中，勢能（物體由於具有做功的形勢而具有的能）變成動能（物體由於運動而具有的能），最終就旋轉起來了。地球轉動的能量來源也許就是勢能最後變成動能所致。

也許有人會問，地球運動需要消耗能量嗎？如果答案是肯定的，那麼地球消耗的能量又是從哪裡來的呢？如果它不需要消耗能量，那麼它會永遠轉動下去嗎？而且，地球為什麼要選擇以現在的方向、姿態、速度轉動？其實，這些都是現代科學至今也沒有解決的問題。

地球日與太陽日

地球日也叫恆星日，它是以恆星，即太陽作為參照物計算的地球周期，即地球上某地的天文子午面兩次面對同一恒星的時間間隔。一個地球日約等於二十三小時五十六分四秒。

太陽日即地球同一經線相臨兩次面向太陽所用的時間。一個太陽日，地球自轉了三百六十度，用時二十四小時，即我們常說的一天。

地球上的生命起源

多年來，地球生命的起源一直是個爭議頗多的問題。科學家們從各個方面提出了生命起源的線索，但問題的答案依舊撲朔迷離。有人認為，原始生命是在原始地球上產生的。原始地球大氣是有機分子的誕生地，有了它才會孕育出生命。一九五三年，美國大學生斯坦利·米勒模擬原始地球大氣。他將氨、甲烷、氫和水蒸氣混合在一起，然後對這些混合氣體進行放電，獲得了組成生命的基本材料——氨基酸。他的實驗證實，在原始地球條件下，生命誕生是完全有可能的。

然而有的科學家卻認為，生命是從火山裡誕生的，是海底的原始火山孕育了生命。他們提出，地球在太古代時期存在著深海火山，原始生命就是在那裡誕生的。二十世紀七〇年代，科學家對洋中脊火山噴口的研究表示，海水透過深海火山口與熾熱岩漿直接連通，深海火山口附近存在巨大的溫度落差和化學變化，可能形成多種溶解物。這些物質在高溫下化合，形成氨基酸，最終化合為類似細胞體的物質。

還有的科學家認為，生命來自於火星。從探測器帶回來的火星隕石來看，它們是由彗星或者小行星撞擊火星表面形成的。這種撞擊足以將火星表面攜帶微生物的岩石拋到火星引力之外的地方。科學家們估計，雖然只有極少數的岩石能夠到達地球，但它們已經足以將生命的種子帶到地球上來。據「火星探路者號」太空飛船發回的觀察結果表明，火星南北兩極有冰蓋存在。所以，支持這一說法的人認為，只要火星上有水存在，就完全有可能誕生生命，這也就間接地證明了「生命來自於火星」這個觀點。

除了以上的觀點之外，有關地球生命起源的假說還有很多種，但究竟哪一種才是生命起源的真正原因，這個謎團還等待著人類去繼續破解。

地球上最早的生命

一九七七年十月，科學家在南非三十四億年前的

斯威士蘭系的古老沉積巖裡發現了二百多個古細胞化石，於是將生命起源的時間定在三十四億年前。不久，科學家又在三十五億年的岩石層中驚詫地找到最原始的生物藍藻、綠藻化石，不得不將生命源頭繼續上溯。隨著探索的進一步深入，到目前為止，科學家推測，地球上最早的生命出現在四十五億年前。那時的生命是像細菌一樣的東西，它只有一個細胞，今天地球上所有的動植物都是由細胞組成的。

地球上的海水來自哪裡

地球是一顆美麗的行星，藍色的海洋覆蓋了地球表面大約四分之三的面積，海水總量達到十三點三八億立方公里，佔地球總水量的百分之九十七。地球上如此多的海水是從哪裡來的呢？

起初，人們認為海水是地球本來就有的。當地球從原始太陽星雲中凝聚出來時，這些水就以結構水、結晶水等形式存在於礦物和岩石中。隨著地球的不斷演化，輕、重物質產生了分異，它們慢慢從礦物和岩石中釋放出來，成為海水的來源。

另外一些科學家卻認為，地球上的水，至少大部份的水不是地球固有的，而是由撞入地球的彗星帶來的。他們從人造衛星發回的數千張地球大氣紫外輻射照片中發現，在圓盤狀的地球圖像上總有一些小黑斑，每個小黑斑大約存在二至三分鐘，面積達二千平方公里。

科學家們認為，這些斑點是一些由冰塊組成的小彗星衝入地球大氣層造成的，是這種隕冰因摩擦生熱轉化為水蒸氣的結果。從照片上還可推算出，每分鐘約有二十顆小彗星進入地球，如果它們的平均直徑為十公尺，每分鐘就會有一千立方公尺的水進入地球，一年就有十億立方公尺左右。按此計算，自地球形成至今的四十六億年中，共有二十三億立方公里的彗星水進入地球，這個數字顯然大大超過了現有的海水總量。因此，地球上的海水來自於彗星這一觀點並不能讓人信服。

到目前為止，對於地球上的海水來源於哪裡的問題，仍然沒有合理的解釋，相信隨著科學的進步，這一謎題一定會被解開。

大海

離太陽最近的水星

在我國古代，人們用肉眼最遠能觀測到土星，於是，人們用五行來為除了地球外的五大行星命名，分別為水星、金星、火星、木星、土星。水星是八大行星中離太陽最近的一顆，中國古代也稱它為辰星。

水星的半徑約為二千四百四十公里，不到地球半徑的五分之二，十八個水星合併起來才相當於一個地球的大小。水星的質量很輕，約是地球質量的百分之五點五八。在八大行星中，除地球外，水星的密度最大。因此，大部份天文學家推測水星的外殼是由硅酸鹽構成的，中心有一個很大的內核。他們還推測這個核的主要成分是鐵、鎳和硅酸鹽。水星的鐵含量相當高，科學家曾預測其鐵含量超過兩萬億億噸，可以說它是一座取之不盡，用之不竭的大鐵礦。

水星繞太陽轉一圈的時間是八大行星中最短的，只有八十八天（按照地球上的天計算）。水星自轉的速度比較慢，一個水星日相當於地球上五十九天。水星近日點距離太陽僅四千六百萬公里左右，因而，它面對太陽那一面的表面溫度非常高，最高可達四百℃，但是背向太陽那面的溫度卻很低，最低為零下一百七十三℃。

盆地是水星上最重要的地貌特徵之一。水星上最大的盆地叫卡路里盆地，它的直徑約一千三百五十公里，相當於水星直徑的四分之一。卡路里盆地是太陽系最大的撞擊隕石坑之一，科學家推斷它可能是在三十八億年前，太空隕石撞擊水星時形成的。

除了盆地外，水星的表面還佈滿了環形山、大平原、輻射紋和斷崖。據統計，水星上的環形山有上千個，坡度相對比較平緩。在八大行星中，水星離我們地球不算遠，但是我們在地球上卻很難觀測到它。因為水星距離太陽太近，經常淹沒在耀眼的陽光之中而不得見。即使在最宜於觀察的條件下，也只有在日落之後或日出之前很短的時間裡，才能看到它。當水星走到太陽和地球之間時，我們在太陽圓面上會看到一個小黑點穿過，這種現象叫做「水星淩日」。不過，我們用肉眼是看不到水星淩日的，只能透過望遠鏡進行投影觀測。

水星上的冰山之謎

水星是太陽系八大行星中離太陽最近的一顆，而且它與太陽公轉的方向相同，所以它也是受光照時間最長、太陽輻射最強的行星。

按照常理推斷，水星上存在冰的可能性本應該是最小的。然而一九九一年八月，人們卻觀測到了一個驚人的現象——在水星表面的陰影處有大量以冰山形式存在的水。

這個觀測結果，是美國天文學家在水星運行到距離太陽最近點時，用包含二十七個雷達天線的巨型天文望遠鏡觀測發現的。他們得出的結論是，水星上的冰山多達二十處，大部份直徑在十五到六十公里之間，最大的可達到一百三十公里。它們都位於極地，隱藏在太陽從未照射到的火山口內或山谷之中的陰暗處，那裡的溫度通常在零下一百七十℃以下。由於水星表面處於真空狀態，冰山每十億年才融化八公尺左右。

水星上如果有冰山的話，那麼首先要證實的就是水星上確實有水存在。有科學家分析，假如水星上有水存在，那麼它的水主要有兩個來源：隕星的撞擊與行星本身的釋氣作用。

攜帶大量的水或水的組成成分（氫與氧）的隕星與水星表面撞擊，很可能會把水或水的組成成分留在那裡。而水星內部本身因為地層運動引發的釋氣作用，也可能把星體內部的水帶到表面。這些解釋似乎都可以成立。

但是，由於水星的引力僅有地球引力的一半左右，而且水星離太陽太近，溫度太高，大部份水在很早以前就汽化了。同時，在漫長的歲月裡，高能量的太陽風也可能會把水分子從水星上「颳走」。

因此，水星上即使有水，似乎也很難保存下來。

對此，科學家們推測說，在水星形成時，內核先凝固，並發生強烈的抖動，水星表面就形成了褶皺山。同時，水星上火山爆發頻繁，隕星和彗星又多次撞擊水星，致使水星表面變得坑坑窪窪。而在這些太陽照射不到的火山口和坑坑窪窪的陰暗處，就有可能慢慢形成了冰山。

也有人推測說，冰山可能存在於水星的兩極區域。那裡的環形山可能非常深，並且能夠提供永久性的陰暗區域。因為在極地附近，太陽總是出現在地平線上。而根據典型的環形山尺度，兩極的環形山內側區域的溫度不會超過零下一百七十一℃，即使是環形山內比較平坦的表面，溫度也不會超過零下一百零六℃。果真如此的話，水星極地區環形山內的冰山就可以保存下來。

不過，這些形成冰山的水是水星上以前就存在的，還是後來由撞擊水星的隕星和彗星帶來的，科學家們則有不同的意見。有人比較折衷地認為，那些冰山中很大一部份的存在時間，可能超過太陽系形成的時間，而另一部份則是由彗星撞擊水星時遺留的水汽凝結而成的。

隨著人類對地外空間探索程度的不斷加深，相信有一天科學家們會徹底解開這個謎團。

最亮的金星

除了太陽和月亮，我們用肉眼看上去，天空中最亮的天體就是金星。金星最亮的時候，比著名的亮星天狼星（除太陽外全天空最亮的恆星）還亮十四倍。白天，金星的光芒不會被太陽光完全淹沒，夜晚，它還能把人和物體照出影子。

金星

金星在不同的國家和地區有著不同的名字。我國古代把金星稱為「太白金星」。現在，我們把太陽昇起之前就出現在東方的金星，稱為「啟明星」，表示距天明不遠；把傍晚時候，低垂在西邊地平線上的金星，稱為「長庚星」，預示著漫漫長夜即將到來。古羅馬人把金星想像成愛與美的女神的化身，取名為「維納斯」。

金星的結構和地球相似。它的半徑約為六千零七十三公里，只比地球半徑小三百公里左右；體積約是地球的十分之九，質量約為地球的五分之四；平均密度略小於地球。金星周圍有濃密的大氣和雲層。金星大氣中，二氧化碳最多，佔百分之九十七以上。高濃度的二氧化碳造成了嚴重的「溫室效應」，使金星表面溫度高達四百六十五℃至四百八十五℃。科學家推測，假設沒有「溫室效應」的影響，金星表面的溫度至少會下降四百℃。同時，金星上空還有一層厚達二十至三十公里的，由濃硫酸組成的濃雲，所以酸雨是金星上的家常便飯。金星的大氣壓約為地球的九十倍（相當於地球九百公尺深海中的壓力）。這樣惡劣的環境，導致金星上根本不可能存在任何生命。

金星的自轉很特別，它的自轉方向與大多數行星相反，是自東向西轉，人們稱之為「逆向自轉」。因此，從金星上看太陽是打西邊升起來，從東邊落下去的。金星自轉速度非常慢，自轉一周相當於地球上二百四十三天。金星繞太陽公轉的軌道是一個較圓的橢圓形，公轉速度約為每秒三十五公里，公轉周期約相當於地球上二百二十四點七天，比它自轉一周的時間還要短一些。

金星淩日

當金星運行到太陽和地球之間時，我們可以看到在太陽表面有一個小黑點慢慢穿過，這種天象叫做「金星淩日」。我們用肉眼也能看到金星淩日，但效果不是很好。如果我們用天文望遠鏡在天氣條件好的情況下觀看，可以看到由金星大氣折射成的光圈。如果當天日冕上黑子較多，還可能出現金星遮掩太陽黑子的現象，蔚為壯觀。

金星的形成之謎

對於人類來說，每一個天體的形成都是一個難以解開的謎。金星是如何形成的，這一問題同樣一直困擾著科學家。

二〇〇八年，英國加德夫大學一位名叫胡・大衛斯的地球物理學家提出了一個全新大膽的設想：金星是由兩顆巨大的，且體積和質量相當的原行星相撞後形成的。

戴維斯的「碰撞說」是從月球起源說之一——「碰撞」理論中得到靈感的。

「碰撞」理論認為：大約在四十五億年前，一個比火星更大的，名叫塞亞的行星，以每小時四千公里的飛行速度猛然撞擊早期的地球，力度超乎想像地大，以致這個行星的鐵質核一直撞到了地球的中心。碰撞結果是發生了巨大爆炸，伴隨有六千℃以上的高溫。地球在爆炸的衝擊下變了形，這個採取「自殺行為」的巨大天體的大部份與地球融合，只有一小部份作為熾熱的蒸氣與其他碎片一道洶湧地噴射入外層空間，後來這些蒸氣冷卻下來並凝固成塵埃，塵埃與其他碎片混雜在一起形成了一個核，這個核後來凝聚成團，我們的鄰居——月球從此誕生了。

金星和地球有如此多相似之處，尤其是它們地表的化學成分更是驚人的相似。因此，戴維斯推測，金星也是由兩顆原行星相撞形成的，只不過兩顆原行星在體積和質量上差不多，而且它們相撞的角度是一百八十度。

根據戴維斯的理論，金星身上的好幾個謎題都可以輕鬆得到解決。

第一是金星上為什麼沒有水的謎題。科學家認為，水分子在高溫的環境下會和其他物質反應，釋放出具有放射性的氣體氬零下四十℃科學家在探索金星的過程中，已經檢測到金星有氬零下四十℃存在，不過非常稀少，約為地球上的四百分之一。但這足以證明金星上曾經有水存在。但是一九六一年以來，蘇聯和美國先後向金星發射了三十多個探測器，它們探測的結果是：金星是個奇熱、表面無水、非常乾涸的星球。那麼金星上的水去哪裡了呢？戴維斯認為，金星上的水在它形成的過程中，由於猛烈的碰撞而完全消失了。他認為，因為這兩顆在質量和體積上相差不多的原行星是呈一百八十度角直接對撞的，這種對撞產生了巨大的能量，足以使這兩顆原行星上的水分子迅速完全分解成重氫分子和氧分子。重氫分子逃逸到金星的大氣層中了，而氧分子則和鐵反應，沉到金星的地核裡面去了。

有人反駁，為什麼地球也同樣遭到過碰撞，卻沒有因此失去水呢？戴維斯解釋，這是因為和地球發生碰撞的那顆原行星體積比較小，而且發生碰撞的角度也很小。

第二是為什麼金星會逆向自轉。戴維斯認為，作為太陽系八大行星成員之一，而且是地球的姐妹行星，它獨特的逆向自轉只能用它曾經受過非常猛烈的碰撞來解釋了。

第三是為什麼金星沒有衛星。戴維斯說，因為金星是由兩顆在體積和質量上相差不大的原行星一百八十度對撞而形成的，這種對撞一般不會形成比較大的碎片，所以沒有形成衛星的條件。

戴維斯的這一大膽猜想，已經獲得了不少科學家的支持，但是由於相關探測器還沒有傳回準確的數據，這一設想還得不到印證。科學家希望能夠透過金星探測器對金星進行全面的探測，特別是對金星的土壤、大氣層和火山進行認真的分析。

雖說金星空間探測碩果累累，但仍然有許多待解之謎。神秘的金星將是人類繼火星之後，最需要關注的一個星球。

火山密佈的金星

金星上可謂火山密佈，是太陽系中擁有火山數量最多的行星。已發現的大型火山有一千六百多處。此外，還有無數的小火山，沒有人精確計算過它們的數量，估計總數超過十萬，甚至一百萬處。

金星古城遺址之謎

從我們已經了解的金星情況來看，現在的金星是絕對不適宜人類居住的。然而，人類在對金星的探測過程中，卻意外發現金星上竟有城市廢墟，這究竟是怎麼一回事呢？

一九八八年一月，蘇聯發射的一艘無人宇宙飛船在穿過金星表面濃密的大氣層時，透過雷達掃描，竟發現金星上存在著兩萬多個古城遺蹟。一九八九年，蘇聯科學家尼古拉·利雲捷高博士在布魯塞爾宣佈，金星上存在古城遺址。這一消息，在科學界掀起軒然大波。

科學家們推測，在很早很早以前，金星上的自然環境可能比現在好得多，並進一步推測出遠古時期，「外星人」從遙遠的星球飛到金星地面，在金星上開礦採石，挖掘寶藏，並居住下來。「外星人」在金星上勞動、生活，並用高智能的頭腦創造了光輝燦爛的金星文明。他們修築的近兩萬座城市散佈在金星表面，呈現出一個馬車輪般的形狀。最大最繁華的那個城市像輪軸一樣位於中間。為了相互間往來方便，他們又修築了龐大的公路網，這些公路網像車輪輻條一樣把所有的城市連接起來。後來，由於金星上自然條件的逐漸惡化，有一部份人離開了金星，登陸到地球上，開始在地球上繁衍生息，而另一部份人則飛回他們原來的星球。金星上留下來的近兩萬座城市歷經數億年的狂風襲擊、硫酸雨沖刷侵蝕，逐漸坍塌毀壞。

這些城墟的建築呈金字塔形。研究者認為，這些金字塔狀的建築可以有效地避免白天的高溫、夜晚的嚴寒和狂風暴雨的侵襲。這樣的城市規劃值得我們借鑑。

但這一切只是科學家的推測，是否真的存在金星人，金星人當年在金星的生活方式，以及他們如何創建出這兩萬個城市文明，現在還無從考證。

小行星如何命名

國際天文學聯合會對小行星命名有專門規範。具體為：觀測者觀測到一顆小行星時，不管能否確認是

「首次發現」，可進行「臨時編號」；當不同夜晚均觀測到並報國際小行星中心後，將獲得國際統一格式的「暫定編號」；而只有它被確認是「新發現」且經過三次以上不同沖日年代的觀測證實，並計算出精確軌道參數時，才能得到一個「國際永久編號」。之後發現者可對它進行命名，但須報國際小行星中心和小行星命名委員會審議通過，刊佈於世。

最像地球的行星

從離太陽最近的一顆行星（也就是水星）數起，第四顆行星是火星，它距離太陽約二億二千五百萬公里。火星表面佈滿了氧化物，因而呈現出鐵銹紅色，人們便稱火星為「紅色的行星」。這顆神秘的「紅星」是地球的近鄰，當它距地球最近時，我們能夠看見火星的整個亮面。火星二十四小時三十九分鐘自轉一周，與地球自轉周期極其接近。但火星公轉周期要比地球公轉周期長得多，相當於地球上的六百八十七天。它的直徑為六千七百九十四公里，約為地球的一半，質量為地球的十分之一。

火星有許多地方與地球相似：它像地球那樣歪著身子繞太陽轉動，因此和地球一樣有著四季的變化；它的內部和地球也極為相似，同樣擁有核、幔、殼的結構。火星距太陽比地球遠些，接收到的太陽能只有地球的百分之四十三左右，在它的赤道上面最高也不會超過二十

℃，冬天則為零下八十℃左右。在火星的兩極，最低溫度能夠達到零下一百四十℃。

火星是唯一能用望遠鏡看得清楚的類地行星（指以硅酸鹽石作為主要成分，體積小、密度大、自轉慢、衛星少，類似地球的行星）。透過望遠鏡，我們看到的火星像個橙色的球。隨著季節的變化，火星南北兩極會出現白色極冠，表面還會呈現出一些明暗交替、時而改變形狀的區域。空間探測顯示，火星上至今仍保留著大洪水沖刷的痕跡。因此，科學家推測，火星過去曾比現在更溫暖、潮濕。

火星表面的地域有三種類型：環形山地域，是年齡至少為幾十億年的古老地域；混雜地域，山脊和凹地並存的地域，基本上沒有新形成的環形山；無結構地域。現在，科學家透過火星探測器傳回來的數據，已經確認火星上有水冰。這一點同地球也極為相似，因此天文學家們都對火星表現出濃厚的興趣。

人類對火星的探索仍然在繼續，隨著科技的發展，人類一定能對火星有更進一步的認識。

火星上的水去了哪裡

一八七七年，義大利人夏帕雷利在火星表面觀測到了一些縱橫交錯的線條。此後，火星上存在運河的說法不脛而走。一九七一年十一月，「水手九號」對火星全部表面進行了高解析度的照相，科學家從照片上分析，火星上分佈著許多已乾涸的河床。這些乾涸的河床，最長的約一千五百公里，寬六十公里以上。主要的大河床分佈在赤道地區，大河床和它的支流系統結合，形成脈絡分明的水道系統。還可以觀測到呈淚滴狀的島、沙洲和辮形花紋，支流幾乎全部朝著下坡方向流去。科學家們分析，這是天然河床，只有像水那樣的少黏滯性流體才能造成這種河床。

火星上有乾涸的河床表示，過去的火星肯定與今日的火星大不相同。那火星上的河水流到哪裡去了呢？

有一種假說認為，在火星形成初期，頻繁的火山活動噴出了大量氣體，這些濃厚的原始大氣曾經使火星表面溫暖如春，造成了冰雪融化、河水滔滔的景色。後來火山活動減少，火山氣體逐漸分解，火星大氣變得稀薄、乾燥、寒冷，從此河水乾涸，成為一個荒涼的世界。

另一種假說認為，在火星的歷史早期，自轉軸的傾斜度比現在更大，因而兩極極冠中的地下水融化，大量二氧化碳進入大氣，大量的水蒸發並凝成雨滴在赤道地區落下，形成河流。

科學家們最關心的問題是：滔滔的河水跑到哪裡去了？有人提出，從巨大的江河到今日滴水皆無，這說明火星的氣候發生了根本的變化。而這一變化的促因以及時間等許多問題，還有待科學家進一步地探索。

水手谷和奧林匹斯火山

火星上最壯觀的特徵是位於南半球的大峽谷，其中尤以水手谷最為突出。水手谷由一系列峽谷組成，綿延五千公里以上，寬五百公里，深六千公尺左右。這樣大的峽谷是地球上任何一個峽谷都無法比擬的。

火星上有生命嗎

我們知道，在太陽系的八大行星中，火星是和地球最為相近的一顆行星。它的自轉周期與地球幾乎一樣，自轉軸的傾斜角度也與地球的幾乎相同，因而和地球上一樣四季分明。火星上空也存在大氣層，大氣中含有形成生命不可缺少的基本元素：碳、氫、氧、氮以及水蒸氣。此外，火星的兩極還有固態的冰層。總之，八大行星中，除了地球之外，火星是最適合生命生存的星球。所以，人類孜孜不倦地對火星進行探索，期待著在火星上發現生命存在的信息。

我們在前面剛剛提到，十九世紀後半期義大利人夏帕雷利觀測到火星表面有許多深色的線條。一九〇三年五月，美國天文學家洛威爾再次做了大量的觀測，並認為那是火星上的「運河」。他猜想，既然有運河，當然會有開鑿和利用運河的智慧生命體。不過一個世紀以後的今天，隨著觀測儀器的大幅改進，科學家們得出的結論是，所謂的「火星運河」，其實是一些環形山和隕石坑的偶然排列。而且，從已查明的火星環境來看，火星是個荒蕪的星球，溫度低、無液態水、大氣稀薄，存在生命的可能性很小。即使有生命，也只能是極低等的微型生物，而不會是能開鑿運河的高智慧生物。

雖然結論可能令人失望，但科學家們探索火星上是否存在智慧生物的熱情從未消減。一九七六年七月二十五日，美國「海盜一號」太空飛船傳回兩張清晰度極高的火星照片，更是極大地鼓舞了科學家們的熱情。

「海盜一號」在距火星表面一千八百七十公里的高空拍攝到，在火星上約一千五百公里長的地帶中，竟然呈現出一個神秘的女性面孔來。美國國家航空暨太空總署研究小組使用了最新的電腦處理技術對照片進行分析，最後認定這個神秘的面孔是一個很像人臉的巨大建築，它建在一個巨大的長方形臺基上，以「鼻子」為中心，有左右對稱的「眼睛」和略微張開的「嘴巴」。

無獨有偶，工程師文森特和格雷戈爾在火星地形照片存檔處，也發現了一張類似人類面孔的地形照片。這張地形照片透過電腦精密分析後，呈現出類似人類的眼睛、瞳孔以及牙齒的圖像。這兩位工程師推斷，如果這些地形是由基岩構成的話，那麼就很有可能是火星生命體所為。因為基岩在常溫下是十分穩定的，沒有強大的外力打磨，不可能形成如此規則而明晰的圖片。

火星上發現神秘女性面孔的消息，讓長期致力於探索火星生命體的科學家們異常興奮，他們猜想，也許火星上真的存在著智慧生物，火星人並不是科學幻想，這個人臉形的建築一定是火星上存在過的類似人類的生物建造的。因為，在距今大約五億年前，火星上的氣候條件和地理環境，與現在地球上的十分相似，當時火星上很可能存在與人類相似的生物。有人甚至認為，人臉形建築「眼睛」下方的眼淚狀的痕跡，可能是火星人滅亡前向宇宙生物界發出的求救信號或警告。

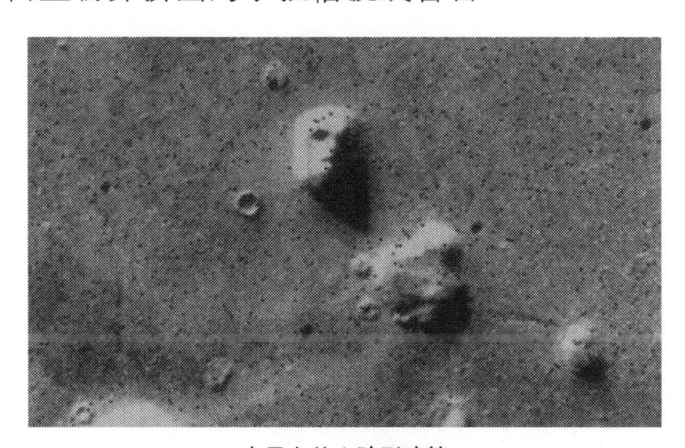

火星上的人臉形建築

然而，這種猜想似乎難以自圓其說。如果有一種智慧生物在五億年前就達到了現在地球人的智能水平，他們又怎麼會消失得無影無蹤呢？是什麼樣的浩劫使整個星球上的生命無一倖免？如果有人逃過劫難，他們又到哪裡去了呢？

一系列的疑問使人們對存在火星人的信心搖搖欲墜。不過，隨著人類探索火星的進一步深入，這一問題終於得到了解決。二〇〇一年四月八日，「火星探路者號」太空飛船再次飛抵人面形建築上空四百五十公里處，拍到了一張解析度達到兩公尺的清晰照片。工作人員將前後兩張照片對比之後，判定這確實是火星上的自然地貌，絲毫沒有人工斧鑿的痕跡。

火星上神秘的女性面孔之謎終於水落石出，相信一定令那些對火星上存在智慧生物的擁護者大失所望。不過，人類探索火星和火星文明的熱情仍然會一如既往。

火星上的神秘光源

二○○一年六月，美國的一些天文愛好者在佛羅里達州連續多日觀測火星，發現一束脈衝光有規律地射向地球。這個光源在一分鐘內向地球發射一到二次脈衝光，每次持續五秒鐘。愛好者們分別用鏡頭焦距為十五公分和三十公分照相機，將這束光源拍攝了下來。其實早在一九五八年，天文學家就發現過火星上有光源存在。當時，人們紛紛猜測這束光是火星人發來的信號，但是這個說法不久就被推翻了。事隔四十多年後，人們又在同一位置發現了這束奇異的脈衝

人類正孜孜不倦地探索火星

光，這立刻在科學界引起轟動。究竟這束脈衝光是由什麼發出來的呢？科學家們對此展開了探索。

大部份科學家認為，這束脈衝光並非某種神秘的信號，只是在太陽與地球處於一個特定的位置時，火星上的雲或冰晶體將太陽光反射到地球而產生的。這種反射光看起來就像火星上有光源似的。

但是，一些科學家對此解釋表示懷疑，他們認為形成這種反射的概率太小。即便這個光源真的是反射太陽光形成的，那也根本不可能被地球上的人看到。

對於人類來說，火星本來就是一個迷霧重重的星球，這一發現無疑使得火星更為神秘。也許隨著空間探測技術的進一步發展，這一謎團最終能被我們破解。

火星上猛烈的風暴

火星的大氣環境最鮮明的特色是大風暴。火星大風暴的風速之大簡直無法形容。火星上空濃密的雲層正是火星大風暴揚起火星表面的塵埃導致的。

大風暴是火星大氣中獨有的現象，這種籠罩整個星球的塵暴，幾乎在每個火星年裡都要發生一次，通常是發生在火星運行到軌道近日點前後。地球上也有大颱風，但無法與火星風暴相比：地球颱風的風速是每秒六十多公尺，而火星上大風暴的風速每秒可達一百八十公尺。科學家們認為，這是因為太陽對火星表面的加熱作用比較大，熱空氣上升，塵埃揚起，導致風暴形成。

太陽系中最大的行星

木星是距離太陽第五近的行星，也是太陽系中最大的行星。它的半徑達七萬一千四百公里，約是地球半徑的十一倍，它的體積是地球的一千三百一十六倍，比其他七顆大行星體積的總和還要大；它的質量是地球的三百一十八倍，是其他七大行星總質量的二點五倍。木星距離太陽五點二天文單位（地球與太陽的平均距離為一天文單位），即相距約七億七千八百萬公里。

木星

木星雖然體積龐大，但因距離太陽較遠，所以看上去還不如金星明亮。也正因為遠離太陽，它的表面溫度比地球低很多，「先驅者十一號」宇宙飛船測得它表面某處的溫度僅為零下一百五十℃。木星繞太陽公轉一圈需要的時間相當於地球上的十一點八六年。地球幾乎每年都有機會位於木星和太陽之間，在這個時間段裡，當太陽落山時，木星正好升起，我們整夜都能看到它。木星自轉很快，自轉一周只需九小時五十分三十秒。飛快的旋轉速度使它的兩極方向非常扁平，因此它的外形看起來有點像被壓扁的球體。

木星圓面上有許多帶狀紋，每條帶狀紋都與木星的赤道平行。這些帶狀紋是木星的大氣環流。氣體中亮的部份叫做「帶」，是氣體上升的地帶；暗的部份叫做「條紋」，是氣體下降的區域。

在木星赤道南側的上空，有一塊引人注目的大紅斑。這個明顯的標誌自一六六五年發現以來，一直沒有消失過，只是明暗、形狀經常會發生變化。大部份天文學家認為，它可能是一個巨大的氣體旋渦。

木星系

木星是太陽系中衛星數目較多的一顆行星。迄今為止，我們已經發現木星有十六顆衛星，它們與木星組成了一個家族：木星系。

木星上的紅斑之謎

木星上的「大紅斑」

「大紅斑」可以說是木星表面最顯著的特徵，它位於木星的南半球上，呈橢圓形，有點像鷄蛋。一六六五年，法國天文學家發現木星有一條大紅斑，並把它繪製成圖，這引起了國際天文界的注意。一八七八年，一位天文學家在觀測木星時再次發現了這個大紅斑，此後，人們開始對它持續觀測。

「大紅斑」南北寬度經常保持在一萬四千公里，東西方向上的長度在不同時期有所變化，最長時達四萬公里。「大紅斑」有時浮現，有時隱沒，而且，它也不是固定不動的，而是像一股巨大的旋風，在大氣中按逆時針方向旋轉。不過，「大紅斑」的變化具有周期性。目前，「大紅斑」仍舊非常明顯，比起首次被發現時，它的大小、形狀及顏色只是略有改變，位置也只是稍有變化。

有科學家推測，「大紅斑」是一團劇烈運動的上升氣流，它含有大量的紅色物質，所以呈現出紅色。這團上升氣流的劇烈運動產生的風暴體積異常龐大，大概可以容納下兩個地球。也有人認為，它之所以呈紅色，可能是由於有些物質到達木星的雲端以後，受太陽紫外線照射，發生了光學反應，使這些化學物質轉變成一種帶紅棕色的物質。

人類發現「大紅斑」已經有幾百年歷史，但至今仍未能了解它為何能夠穩定地存在如此長的時間。

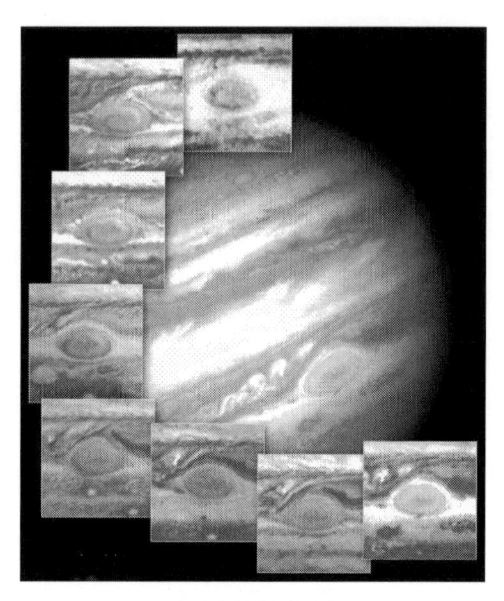

木星上的「大紅斑」

木星上的「小紅斑」

早在一九三八年，在「大紅斑」的南面雲帶，人們發現了三個白色的小風暴——「白斑」。

一九七九年，「旅行者一號」和「旅行者二號」太空探測器在飛越木星時，觀測到原來的一個「白斑」頂部的風速約為每小時四百三十一點三公里，比「大紅斑」每小時六百四十三點七公里的風速要小得多。

一九九八年，伽利略軌道器測出該風暴仍舊維持著同樣的速度。不過其中的兩個「白斑」合併成了一個。

二〇〇〇年，另一個「白斑」也合併了進來。

二〇〇五年，天文學家用哈勃太空望遠鏡，觀測到這個合併了的較大「白斑」的風速增強到跟「大紅斑」差不多，而且顏色也發生了變化，變成了紅色。於是，二〇〇六年初它就被改稱為木星上的「小紅斑」。不過「小紅斑」只是相對「大紅斑」而言的，因為雖然它只有「大紅斑」的三分之一大，卻足有地球那麼大。

目前，研究小組仍在繼續觀測「小紅斑」的演變，期待能早日揭開它和「大紅斑」之謎，包括風暴中雲的成分和呈現出紅色的原因。

木星遭撞擊

二〇〇九年夏天，一位業餘天文愛好者首次發現木星表面出現一個新的黑點。後經科學家證實，這個黑點是由一顆太空飛來的小行星或彗星撞擊所造成的「傷疤」，這個「傷疤」的面積足有太平洋那麼大。

土星環是怎樣形成的

土星

一六五五年，荷蘭光學家惠更斯使用比較精密的望遠鏡，第一次看到土星周圍有一個光環。他成為第一個見到土星環的人。從此，人們知道了土星擁有美麗的光環。土星並不是太陽系中唯一帶光環的行星。木星、海王星、天王星全都有光環。

在二十世紀六〇年代以前，人們一直認為土星有五道光環，按從土星向外的順序分別被命名為D、C、B、A、E環。其中最亮的是B環，其次是A環，最暗的是D環。B環又是最寬的，約為二萬六千公里，A、C環寬約為一萬五千公里。當「先驅者」飛船飛臨土星的時候，科學家們又發現了兩道新外環，命名為F、G環。F

環寬約二千一百公里，距土星中心約十四萬公里。G 環在 F 環的外側，距土星中心約十五萬公里。實際上，土星的光環細分起來數以千計，一環套一環。

然而，土星環究竟是怎樣形成的呢？有人認為，如果一顆衛星距離土星太近，就會被土星瓦解，瓦解後的碎片就形成了光環。也有人認為，在土星環區的衛星和飛來的流星發生了碰撞，導致這些衛星被撞得七零八落，衛星碎片就成了土星環的「構成材料」。還有人認為，在土星形成初期，曾向外噴射過物質，這些噴射物後來形成了它的光環。然而，這些解釋都只是假說，到目前為止，土星環究竟從何而來，仍無定論。

衛星同軌或影響土星環

土衛系統中有幾顆衛星同軌的奇特現象，如土衛十三、土衛十四就分別在土衛三前後各六十度處，構成了兩個正三角形；而土衛十、土衛十一有時會靠得很近，還有幾顆衛星位於土星環內，這也是造成土星光環結構複雜多變的原因之一。

藍綠色的天王星

一七八一年三月十三日，英國著名天文學家威廉·赫歇爾宣佈，他用自己做的望遠鏡觀察到，雙子座附近有一個暗綠色的光斑。後來，他經過多次觀測發現，這顆星星不僅不像其他天體那樣閃爍不定，而且還有位置上的變化，於是肯定那是太陽系中的天體。這顆新發現的天體就是天王星。天王星的發現也燃起了科學家探索新行星的欲望，在天文學上具有極其深遠的意義。

天王星距太陽大約二十八億七千萬公里，在八大行星中的位置排行第七，是我們能用肉眼看到的最暗的行星。它的直徑約為五萬一千八百公里，公轉周期為八十四點三二年（按地球上的年計算），自轉周期約為十六點八小時，而且是逆向自轉。天王星的表面溫度極低，平均為零下一百八十℃。天王星有磁場、光環和十五顆衛星。

天王星的體積是地球的六十五倍，僅次於木星和土星，是太陽系行星家族中的「老三」。它被一層厚厚的大氣包裹著，這層大氣的主要成分是氫、氦和甲烷。甲烷反射了陽光中的藍光和綠光，因此我們看到的天王星呈現出美麗的藍綠色。

天王星

科學家發現，天王星也擁有像土星那樣的光環。它的光環擁有繽紛的顏色，使遙遠的天王星看起來更加神秘莫測。截至二〇〇五年十二月二十三日，科學家發現的天王星的光環數已經達到十三個，由於最後發現的兩個光環遠離天王星本體，科學家將其稱為「第二層光環系統」。

相關連結

你知道嗎

人如果站在天王星上，根本看不到水星、金星、地球和火星。這是因為這四顆行星與天王星在同一平面上，而且它們都被太陽的光輝所掩蓋住，因此無法看見。

天王星逆向自轉之謎

在宇宙空間，大多數的行星總是圍繞著幾乎與黃道面（行星繞日旋轉軌道所在的平面）垂直的軸線自轉，奇怪的是，天王星卻幾乎是橫臥在軌道平面上自轉的。天王星公轉軌道面與黃道面，即地球公轉軌道面之間的夾角僅為零點七七四度，可見它的南北兩極是落在黃道面附近的，而赤道平面卻垂直地豎立起來。也就是說，天王星的自轉方式就像躺在軌道面上打滾似的。它一邊這樣自轉，一邊繞太陽公轉。它的衛星也都在直立的赤道平面上運行。

直到目前，只有「旅行者二號」太空船探測過天王星，因此人們對它的了解還較有限。儘管如此，「旅行者二號」的探測還是獲得了重要信息，使人們對天王星有了一些新的認識。

原來的地面觀測認為天王星的自轉速度接近地球，約二十四小時自轉一周。這是由於分辨不清其表面特徵難以精確測量的結果。待到一九八六年「旅行者二號」飛經天王星近處時，才準確測出其自轉周期為十六點八小時，同時發現天王星的自轉方向與絕大多數行星不同，是順時針轉動，與公轉方向恰恰相反。從這一點上來看，它和金星一樣，都是太陽系家族的「逆子」。

這樣的公轉和自轉運動的結果，形成了天王星上非常奇特和十分複雜的四季變化與晝夜交替情況。當其南半球對著太陽時，即為南半球的夏季。在整個夏季，南半球只有白晝，沒有黑夜。而此時背向太陽的北半球則處於冬季，始終是黑夜。春秋兩季時情況則不大相同，隨著天王星的自轉，晝夜快速交替，每隔十六點八小時太陽就升起一次。在赤道附近的低緯度地區，一個公轉周期內大部份時間處於晝夜交替的春秋季節，冬夏兩季時間較短。而高緯度地區常年卻處於日不墜落的夏季或漫漫長夜的冬季，白天和黑夜分別可持續二十一年（按地球上的年計算）。至於兩極附近則沒有春秋，基本上是夏、冬各持續四十二年（按地球上的年計算）。

但是，太陽系中的其他行星都是「站」在軌道面上進行自轉的，為什麼天王星會有如此與眾不同的自轉方式呢？有人猜測，在天王星形成的初期，它可能和其他行星一樣也是「站」著自轉的。但是，不知道是什麼原因，天王星被一個天體「撞倒」了，這個天體的質量和體積應該和天王星差不多，所以撞擊產生的力量非常大。強烈的碰撞一下子撞倒了天王星，使它再也無法「站起來」，於是就只有「躺」著自轉了。但是，這種說法到現在還沒有找到充分的證據。所以，天王星為何會形成這種奇特的自轉方式，到現在還是宇宙中的難解之謎。

蔚藍色的海王星

科學家們發現天王星後，發覺似乎有一種力量在影響它，使它的運行軌道有很大的偏離。十九世紀四十年代，英國天文學家亞當斯和法國天文學家勒威耶預計在天王星外側還有一顆行星存在，透過計算，他們還推算出那顆行星的具體位置。一八四六年九月二十三日，德國天文學家伽勒透過望遠鏡觀察，很快在理論位置上找到了一顆未知行星。從大型天文望遠鏡裡看，這顆新發現的行星呈現出美麗的蔚藍色，使人聯想到了大海。於是，西方人稱這顆星球為「涅普頓」，意思是「大海之神」，中文譯作「海王星」。

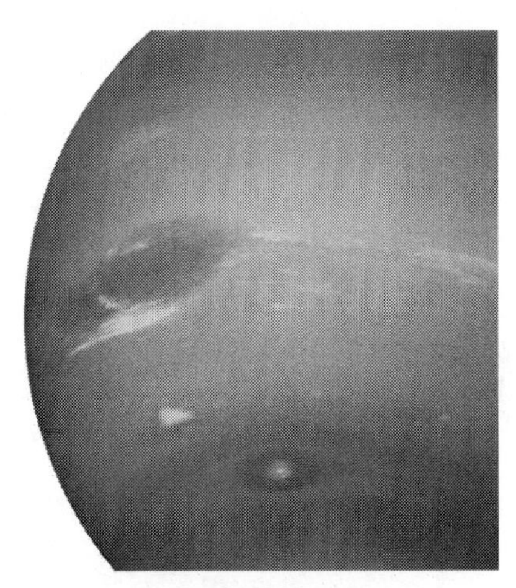

海王星表面有許多暗斑

海王星是太陽系的第八顆行星，與太陽的平均距離約為四十四億九千七百萬公里。它的直徑為四萬九千四百公里，約是地球的三點九倍；質量為地球的十七點二倍，密度約為水的一點六倍。海王星的公轉周期為一百六十五年（按地球上的年計算），自轉周期約為二十二小時。在八大行星中，海王星距離太陽最遠，因此它單位面積所接收到的陽光只有地球上的九百分之一，表面溫度在零下二百℃以下。海王星的大氣活動十分劇烈，強勁的風暴時速最高可達二千公里。

和土星、天王星一樣，海王星也有光環，但在地球上觀察到的海王星光環並不完整，只是一些暗淡模糊的圓弧。一九八九年，「旅行者二號」太空船首次飛經海王星，對其進行了詳細的科學考察。經研究，天文學家確認海王星有五條光環：裡面的三條比較模糊，外面兩條比較明亮。天文學家將最外側的一條光環命名為「亞當斯環」，並將此環中幾段明亮的弧依次命名為「自由」、「平等」和「互助」。二○○三年，美國加利福尼亞大學研究人員經過觀測、研究後公佈：亞當斯環中的三段弧似乎都在消散，其中自由弧消散得最為明顯。如果這種趨勢繼續，自由弧將在一百年內徹底消失。

星空的奧秘

夜晚，仰望蒼穹，繁星閃爍，呈現出一片神秘而又美麗的畫面。這些用肉眼看來僅有米粒般大小的星星，實際上可能比我們居住的地球還要大。這些星星有行星，也有恆星。人們根據恆星在天球上投影的位置，還劃分出一些星座，如仙后座、獵户座、天蠍座等等。

夜空為什麼是黑的

每當夜晚，如墨的夜空籠罩大地，點點繁星閃爍其間，彷佛一顆顆耀眼的鑽石。也許你會想，為什麼夜空是黑的呢？這個問題也正是天文學家們正在探索的問題。

也許有人會說，因為地球自轉的緣故，當我們面對太陽的時候是白天，背對太陽的時候就進入了黑夜。但是，除了太陽之外，宇宙中還分佈著無數顆恆星，它們的亮度和大小都遠遠超過了太陽，為什麼它們擁有如此大的能量，卻無法把地球照亮呢？

有的科學家認為，由於宇宙在不斷地膨脹，各種星體就不停地向遠處「飛行」。星系越遠，恆星發出的光就越黯淡。而那些離我們非常遙遠的恆星，當它們的光到達地球的時候，其能量已經接近於零，所以我們看到的夜空就是黑暗的。

還有人認為，黑暗的夜空反應的是宇宙誕生之前的樣子。因為光的傳播速度是有限的，那些離我們十分遙遠的星系，它們發出的光到達地球，需要幾百萬年甚至幾十億年的時間。而我們人類大約在三百多萬年前出現，因此，宇宙中那些遙遠的星系發出的光還沒有到達地球。所以，我們現在看到的黑暗夜空，就是宇宙誕生之前的樣子，而不是宇宙現在的狀態。這種觀點雖然也有道理，但它也遇到了許多難以解釋的問題。比如：既然黑暗的夜空是宇宙還沒有誕生時的樣子，那麼宇宙又是怎樣形成的呢？它是怎樣演化成現在這個樣子的呢？

因此，黑暗的夜空是宇宙誕生之初的模樣這一觀點，還有待進一步的論證。

為什麼白天看不見星星

星星是天體，而且大多數是恆星，恆星本身就能發光。我們之所以在白天看不到星星，是因為白天太陽中一部份光線被地球大氣所散射，把天空照的十分明亮，在這耀眼的強光下，星星的光就顯現不出來了，所以也就看不到星星了。

探秘月球起源

月球是地球唯一的天然衛星，俗稱月亮，我國自古就流傳著很多關於它的美麗傳說。雖然在二十世紀六〇年代，美國的「阿波羅十一號」宇宙飛船就已經登上了月球，但關於月球的謎團卻有增無減，其中最大的一個謎就是月球的起源問題。

人類從未停止對月球的探索

地球分裂說

一種觀點認為，月球最初只是地球赤道的隆起部份，在太陽的引力和地球的快速自轉作用下，這部份

「飛」了出去，成了地球的衛星。所以，月球是地球的「孩子」。

但是，這種假說有兩個無法解釋的問題：一是地球的慣性離心力如何能達到把月球拋出去的程度；二是既然月球是從地球分離出去的，地球和月球的化學構成為何存在著巨大的差別。

地球俘獲說

還有科學家認為，月球是太陽系裡一顆普通的小行星，偶然運行到離地球很近的地方時被俘獲，於是成為地球的衛星。所以，月球是地球的「俘虜」。

但是，這個假說並不能解釋從地球旁邊經過的其他小行星為什麼沒有被地球俘獲。而且，地球的體積和質量並不比月球大多少，要俘獲它也不是件容易的事。

地球同源說

主張這一假說的科學家認為，在原始太陽星雲內，各行星的溫度和化學成分取決於它們與太陽的距離。太陽系的各個行星處在星雲中不同的區域，是由不同化學成分的星雲物質凝固、聚集而形成的。月球與地球在太陽星雲中相距較近，形成過程相似，屬於同時形成的「兄弟」。對於地球與月球成分上的差異，他們解釋說，形成行星時，開始是凝固、聚集並形成以鐵為主要成分的行星核，金屬核進一步增長之後，星雲中殘留的非金屬物質才逐漸凝聚，月球就是地球形成後剩下的殘餘物質所形成的。但是，這一假說也未得到科學界廣泛的認同。

綜合說

二十世紀八〇年代中期，一位美國天文學家綜合以上三種觀點，提出了一個嶄新的假說。他認為，在太陽系形成早期，大約在相當於目前地球系統存在的空間範圍內，形成了一個原始地球和一個火星般大小的天體。一個偶然的機會，這兩個天體撞在了一起，結果地球被撞出了軌道，火星大小的天體也碎裂了。那些飛離的氣體、塵埃受地球的引力作用「落」在地球的周圍，它們透過相互之間的吸引力，先形成幾個小天體，之後又像滾雪球似的形成了月球。月球就像地球忠誠的「戀人」，雖歷經磨難，卻始終守衛在地球身邊。

現在，關於月球起源的假說已經有了好幾十種，但還沒有一種得到完全確認。科學家們認為，要想破解月球的形成之謎，還需要做出大量的探索和研究。

「阿波羅十一號」

「阿波羅十一號」是美國國家航空暨太空總署的阿波羅計畫中的第五次載人任務，是人類第一次登月任務。三位執行此任務的太空人分別為指令長阿姆斯壯、指令艙駕駛員邁克爾·科林斯與登月艙駕駛員巴茲·奧爾德林。一九六九年七月二十日，阿姆斯壯與奧爾德林成為首次踏上月球的人類。

「兩面派」月球大探秘

我們從地球上看到的月球表面，呈現出明暗不同的區域，暗色區域被稱為月海，明亮區域被稱為月陸。科學探測表示，絕大多數月海分佈在面向地球的月球正面。正面月海約佔半球面積的一半，而月球背面只有三個面積很小的月海，佔半球面積的百分之二點五。然而在月球背面，月陸的分佈面積就比月海大得多。那麼，為什麼月球的正面與背面有這些顯著的差別呢？其實這也是科學家長期以來關注和研究的問題。

科學家們提出，月球正面與背面的明顯差異，與月球的起源和演化有關。有一種假說認為：在月球形成後，其軌道逐漸向地球逼近。大約在三十九億年前，當月球運動到地球的洛希極限（行星對衛星的潮汐力可將衛星粉碎的最大距離）附近時，由於地月潮汐的相互作用，月球的下面被撕裂出一部份，這些物質在太空中被粉碎後又返回到月球撞擊月表，開鑿出大面積的月海盆地，這就是著名的「雨海事件」。而月球背面幾乎沒有受到潮汐的影響，因而沒有發生過類似的撞擊，所以保持了較為原始的月貌特徵。

也有人認為，因為月球上的日蝕都發生在正面，日蝕時月表溫度會發生巨大的變化，極高的溫度會熔化月球正面的岩石，日積月累就形成了正反兩面的差異。

雖然以上的說法都有一定的道理，但它們還不能令人完全信服，甚至存在著缺陷。例如：假設月球軌道真的與地球靠近，並引發了後來的「雨海事件」，那麼，這種情況會不會再次發生呢？現在還沒有任何證據能夠排除這種可能性，也沒有人能夠找出「雨海事件」的規律，這只能說明三十九億年前的那次大碰撞也許是事發偶然，這就大大降低了它的可信度。看來，要想真正揭開月球的正反兩面的差異之謎，還有待科學家進一步研究。

來歷不明的環形山

月球表面佈滿了大大小小的圓形凹坑，稱為「月坑」，大多數月坑的周圍環繞著高出月面的環形山。月面上最大的環形山是月球南極附近的「貝利」環形山，直徑約二百九十五公里。月球上小的月坑直徑只有幾十公分甚至更小。直徑大於一千公尺的月坑總數達三萬三千個以上。月球背面的環形山更多。

月球上星羅棋佈的環形山

阿基米德環形山、奧托里克環形山和阿里斯基爾環形山，是雨海中比較大的三個環形山。其中，阿基米德環形山的直徑約八十公里。古代天文學家在給月球上的山川起名字時，規定月球上的山均用地球上的山名，月球上的環形山均用世界著名的科學家與思想家的名字來命名。這一規定沿用至今。環形山的構造十分複雜，種類也多。一九六九年，一位日本學者提出一個分類方法，將環形山分為克拉維型、哥白尼型、阿基米德型、碗型及酒窩型幾類。克拉維型一般是較古老的環形山，大多已經坍塌，有的還山中有山；而哥白尼型指的是年輕的環形山，常有「輻射紋」，內壁一般帶有同心圓狀的段丘，中央一般有中央峰；阿基米德型指那些環壁較低的環形山，科學家推測它們可能是由哥白尼型環形山演變而來的；碗型和酒窩型是指那些直徑較小，甚至不足一公尺的小型環形山。

對天文學家來說，月球環形山的形成原因是個不易破解的謎。有人認為，它們是小天體或隕石撞擊月球表面後留下的「星傷」，如同地球上的隕石坑。主張隕石撞擊說的人認為，在距今約三十億年前，空間的隕星體很多，月球正處於半融熔狀態。巨大的隕星撞擊月面時，在其四周濺出岩石與土壤，形成了一圈一圈的環形山。又由於月面上沒有風雨洗刷與激烈的地質構造活動，所以當初形成的環形山就一直保留至今。但對比月球正反兩面的照片可以發現，隕石似乎總是撞擊月球的其中一面，而對另一面卻撞擊得比較少，這是怎麼回事呢？

而且，據科學家推測，一個直徑約八十至一百六十公里的隕石撞擊月球，其能量相當於幾百萬噸級的核彈爆炸。按這樣大的衝擊力計算，撞擊月球的隕石應在月球上撞出一個深達幾百公里的坑洞。可奇怪的是，月球上環形山的深度一般不超過五公里。

還有人認為，月球表面的環形山是由火山熔巖堆積而成的。月球形成不久，月球內部的高熱熔岩與氣體衝破表層，噴射而出，就像地球上的火山噴發。它們起初威力較強，熔岩噴出又高又遠，堆積在噴口外部，形成環形山。後來噴射威力減小，噴射堆積只在中央底部堆成小山峰，就是環形山中的中央峰。有的噴射熄滅較早，或沒有再次噴射，就沒有中央峰。

月球環形山如此衆多的奇怪特徵使研究者們陷入了困境，以往的科學理論和各種各樣的計算方法統統失去了作用。有人甚至認為，月球上的環形山並非自然形成，而是被智慧生物改造而成的。面對這種令人匪夷所思的觀點，很多人持懷疑態度。現在看來，只有找到月球環形山更多的特點，才能揭開它的形成之謎。

雨　海

雨海是月球表面的一個巨大月海，直徑為一千一百二十三公里，是月海中面積最大的一個。雨海位於月球正面西北象限，西鄰風暴洋，東鄰澄海，呈圓形，其中的山脈向南延伸。「阿波羅十五號」和「阿波羅十七號」對雨海中的岩石成分和同位素年齡的探測表示，雨海大約是在三十九億年前由直徑約一百公里的小天體衝擊月表開鑿而成的。

月球上有水嗎

一九九六年，美國的一些科學家在分析一九九四年發射的「克萊門汀一號」探測器所拍攝的月面照片時，突然有了令人驚喜的新發現：月球南極有冰湖！

這是令人難以置信的事實。因為在二十世紀六七〇年代的阿波羅計畫中，美國先後發射了六艘載人登月太空船和數十個無人月球探測器，都沒有發現月球上有水存在的跡象。而且在這次拍攝的一千五百張月球南極照片中，也只有一張被認為是月球冰湖的照片。所以有人懷疑這並非「冰湖」，理由是金屬含量較高的岩石也有可能產生與水的反射圖像相同的雷達照片。

於是，一九九八年一月六日，美國又發射了攜帶有可以探測氫原子的中子光譜儀的「月球勘探者號」探測器，專門去尋找月球上的水資源。同年三月五日，美國國家航空暨太空總署全球發佈了一條振奮人心的消息：「月球勘探者號」發現月球兩極的土壤中存在大量的冰，其儲量約為〇點五到三億噸，分佈在月球北極和南極二萬平方公里的範圍內。

當時，支持月球兩極存在冰的科學家解釋，月球有遭受彗星之類的小天體碰撞的經歷，而彗星的含水量一般在百分之三十到百分之八十之間，所以，月球上的水的來源之一就是撞擊它的彗星。而且，月球兩極的地貌很特殊。在月球南極有一個艾物肯盆地，它被認為是隕石撞擊形成的，它的直徑有兩千五百公里，深約十三公里，黑暗幽深，終日不見陽光，溫度一直保持在零下二百三十℃以下，因而完全有可能成為固態水——冰的藏身之地。

對計畫移民月球的人來說，大量的冰意味著他們能用水來維持生命，並將水轉化成氫氧火箭的燃料。為了進一步證明月球上確實存在水，一九九九年，美國科學家提出了用「月球勘探者號」進行「暴力尋冰」的建議。根據計畫，當重達一百六十公斤的探測器以每小時六千公里的速度，撞進三千二百公尺深的月球隕石坑時，如果冰層確實被壓在冰土裡，這個撞擊力度足以激發出一團水蒸氣。但遺憾的是，這個計畫付諸實施後，並沒有探測到任何水蒸氣的存在。

二〇〇九年十月九日，美國國家航空暨太空總署再次實施了這個試驗，他們用一枚半人馬座運載火箭和月球隕坑觀測與傳感衛星，連續撞擊月球南極的凱布斯坑，以探測月球上的水冰，掀起了人類在月球上找水的高潮。

歷時一個月的數據分析之後，美國國家航空航天局科學家安東尼·科拉普雷特在十一月十三日說：「月球有水。不是一星半點，而是數量驚人。」

美國科學家還進一步解釋：月球水並非人們想象中的液態水，而是氣態和冰態水。關於月球水的來源，他們給出了三種解釋：一是來自撞擊月球的彗星或小行星；二是撞擊事件釋放出了月表下面的水；三是攜帶氫原子的太陽風，氫原子與月球土壤中的氧原子結合之後形成水。但這一說法目前還未得到全世界科學家的認同。

月球上是否真的有水，如果有水，水又是從何而來的？這些謎題至今尚無一個確切的答案，要完全解開它們，還有待科學家的進一步探索。

月球上存在智慧生物嗎

一九六九年，當人類首次登上月球後，發現這裡並沒有生命存在的跡象。不過，有的科學家卻認為，月球是外星人的基地，它可能存在著智慧生物。

據報導，美國發射的探測器「月球軌道環行器二號」在月球上空四十六公里的高度，拍攝到了月面上的塔狀物。它們的底座大約寬十五公尺，高十二到二十三公尺。科學家運用幾何學原理對它們進行了分析，結果驚奇地發現，這些塔狀物的分佈方式與埃及的金字塔群極其相似！

除此之外，月面上還有許多難解的謎。很久以前，科學家們就曾目擊月面上有發光物存在。這些發光物有時單個出現，有時是幾個；有的是靜止的，有的在運動；有的光強，有的光弱，各不相同。而且，這種發光物出現的地點，居然與人類登月的地點一致。權威學者們認為，這些發光物除了UFO之外，不可能是其他的東西。

更讓人感到奇怪的是，「阿波羅十一號」在飛行期間，阿姆斯特朗在回答休斯頓指揮中心的問題時，吃驚地說：「這些東西大得驚人……我要告訴你們，那裡有其他的宇宙飛船，它們排列在火山口的另一側，它們在月球上，正注視著我們……」但就在這時，無線電信號突然中斷了。阿姆斯特朗究竟看到了什麼，美國國家航空暨太空總署再也沒有做出任何解釋。

月球表面的輻射紋

許多環形山的周圍都呈現放射狀斑紋結構，這種環形山至少在六十座以上，如第谷、哥白尼、開普勒等環形山，都有形狀不一、長短不同、條紋數量各異、亮度也很不一致的輻射紋。

關於輻射紋的形成原因，多數科學家認為，當火山噴發或者大的隕星體撞擊月球表面時，岩石以及岩石粉末等被拋向四周。後來，這些物質逐漸回落到月面而成為輻射紋。由於它們的反射率比較大，所以看上去顯得格外明亮。

木衛二上有生命嗎

到目前為止，人們發現的木星的衛星共有十六顆，其中木衛一、木衛二、木衛三、木衛四等四顆衛星，是於一六一〇年由伽利略發現的，因而也被稱為「伽利略衛星」。木衛二是木星的第四大衛星，在伽利略發現的衛星中，按照距離木星由近到遠的順序，它排在第二。

木衛二是太陽系中一顆與眾不同的衛星，它非常明亮。科學研究認為，木衛二顯得如此明亮，是因為它的表面有一層厚厚的冰殼。此前，許多科學家都曾經推測過，在木衛二表面覆蓋的冰層之下，存在著一個地下海洋。科學家們透過對「旅行者二號」宇宙探測器發回的照片進行研究，推測木衛二有一個帶冰殼的固體核心，而且在冰殼和核心之間，可能有一層液態水。正是這樣的構造，形成了木衛二平坦的地形，並使它能承受隕星的撞擊而不變形。而天文學家史蒂文森等人在計算了木衛二的熱耗散後，更是得出肯定的結論說，在核心和冰殼之間確實存在一個液態水層。最新研究則表示，木衛二的海洋正在吸收大量的氧氣，它所吸收的氧氣量比此前模擬預測的結果要大得多。

如果這些都是真實的，那麼科學家們就有理由進一步推測，木衛二的地下海洋所吸收的氧氣，足夠支持多種生命形態的存在，從理論上講，目前木衛二的海洋中至少應該存在三百萬噸類似魚類的生物。二〇〇九年十一月，美國亞利桑那大學的科學家理查德·格林博格等人發表他們的研究結果說，木衛二上可能存在類似魚類的生命。

美國深海生態學家蒂莫西·尚克也認為，木衛二的海底環境與地球海洋底部的「熱液出口」具有極大的相似性。眾所周知，地球海底熱液出口處存在著許多生命形態。因此，尚克堅持認為：「如果木衛二上沒有生命，那才是奇怪的事。」

雖然這一觀點曾經遭到過質疑，但是在幾年前，美國國家航空暨太空總署發射的「伽利略號探測器」在木衛二海拔四百公里的上空掠過時，敏感的無線電探測器感應到在木衛二厚厚的冰層下方，傳出了一種吱吱的叫聲。後來經過電腦分析，科學家們發現，這種吱吱聲竟然與海豚發出的聲音十分相似，誤差率僅為百分之〇點〇〇一。雖然現在還不能確定在木衛二冰層下「講話」的到底是什麼生物，但科學家大多猜測，如果木衛二上真的存在某種形式的生命，它們完全有可能與地球上的海豚相似。

儘管這一假設有點令人匪夷所思，但它並不是毫無道理。哈佛大學的語言學家喬治・濟普夫研究出一種能辨別陌生聲音有無含義的方法。他先統計出一段文字中各種字母出現的次數，然後按字母出現的頻率，以一種固定方式畫出一張表格。如果一段聲音是蘊含有某種意義的語言，表格上就會出現一條斜線。如果實驗對象是一段沒有任何意義的聲音，表格上出現的就會是一條水平線。科學家運用這一方法，同時檢測了木衛二發出的吱吱聲和海豚的叫聲，結果發現兩者的傾斜度非常接近。也就是說，木衛二上的聲音是帶有信息的，發出這種聲音的生物可能與海豚相似。

為了證實這一觀點正確與否，科學家們讓海豚聽了一卷磁帶，裡面播放的正是從木衛二錄下來的那些神秘的聲音。科學家們試圖讓海豚聽懂這些地外生物的語言，等到再赴木星考察時，就把海豚的「談話」錄音帶去，用無線電發射機將信號發射到木衛二上。他們相信，這樣就能證明木衛二上是不是有生命存在。

如果科學家們可以破解木衛二上的「海豚音」，無疑將是人類探索外星生命進程中的一大里程碑。

木衛掩蝕

木星的衛星在運行中會發生下列現象：木星在太陽照射下，背對太陽的一面會形成一個影錐，當木星衛星進入影錐時，衛星無法反射太陽光，變得不可見了，稱為木衛蝕。當木星的衛星進入木星圓面的後面，我們從地球上觀測木星衛星的視線便被木星擋住，稱為木衛掩。木星的衛星通過木星圓面的前面，從地球看去在木星視圓面上投下一個圓形斑點，稱為木衛淩木。當木星某一衛星的影子投在木星視圓面上，而它本身又不在木星視圓面上時，稱為木衛影淩木。從地球上看去，當木星的一個衛星擋住另一個時，稱為木衛互掩；當一個木衛進入另一木衛的影錐時，稱為木衛互蝕。

令人驚恐不安的彗星

彗星是一種外形特殊的天體，形如一把掃把，因而中國古人又將它稱為「掃把星」。彗星常常不請自來，飄忽不定，長長的彗尾變化莫測，讓人毛骨悚然。過去，人們不知道彗星是天體，認為只要彗星出現就會發生災難。一五七七年，丹麥天文學家第谷算出彗星離地球一百萬公里以上。雖然這個數值不準確，但這樣的高度已證明了彗星遠在大氣層之外，也就是說彗星應當屬於天體。

哈雷彗星

實際上，彗星是一種雲霧狀的天體，一般由彗核、彗髮和彗尾三部份組成。當它遠離太陽時，我們用肉眼看不見，只有當它靠近太陽時，我們才能看到。在用望遠鏡觀測時，可以看見彗星那個又亮又小的彗核。核的四周則是較暗淡的雲霧狀結構，這就是彗髮。彗髮與彗核一起組成彗頭。由彗頭向外延伸的部份就是彗尾，它總是背向太陽。

彗星遠離太陽時，沒有尾巴，只有靠近太陽時才有，而且離太陽越近，尾巴就越大。之所以會造成這種效果，與太陽的照射有著密切的關係。由於太陽強烈的照射，使彗星的一部份變成了氣體，從而產生了彗髮和彗尾。它們在太陽風的吹動下，向背離太陽的方向飄散。離太陽近些，這種效應就大些。因此，有些彗星由於經過太陽的次數過多，消耗了大量的物質，後來再經過太陽時也沒有明顯的彗尾了。

彗星在一個偏心率往往很高的橢圓形軌道上圍繞太陽運轉。在漫長的旅途中，彗星要跨越八大行星的軌道，有時會與這些行星相遇，或者擦肩而過。彗星運行的軌道有三種形狀，分別呈橢圓、拋物線和雙曲線。有橢圓軌道的彗星叫「周期彗星」，其中公轉周期大於二百年的叫「長周期彗星」，公轉周期小於二百年的叫「短周期彗星」；呈軌道拋物線和雙曲線的彗星則叫「非周期彗星」。

人類對彗星的認識歷程

一直以來，人們對彗星心存恐懼與敬畏之心，在古代，彗星甚至被冠以「末日前兆」或「宇宙威脅」這些不吉利的稱號，它們的到來常常被視為大災難爆發前的預示，或是上天對地球人發出的警示信號。

古羅馬認為彗星預示大火災；猶太人視彗星為上帝手上的石頭，扔到地球上引發洪災以懲戒人類；古代蒙古人則把彗星稱為「邪惡之女」，當她接近地球時，便會製造一系列的摧毀性災難，如暴風雨和霜凍；在古代瑞士，地震、傳染病、紅雨，甚至雙頭動物怪胎的出現，都被歸咎於哈雷彗星的出沒；在古代英國，人們認為是哈雷彗星導致了黑死病橫行。

彗星形成之謎

關於彗星的起源，科學家們衆說紛紜，以下幾種說法是較多人認同的說法：

由奧爾特雲形成

一九五〇年，荷蘭天文學家奧爾特對四十一顆長周期彗星的原始軌道進行統計後認為：在冥王星軌道外面存在著一個碩大無比的「冰庫」，或者說是一個巨大的雲團，這個雲團一直延伸到距離太陽約二十二億公里的地方。奧爾特認為，太陽系裡所有的彗星都來自這個雲團，因而人們把它稱為「彗星雲」或「奧爾特雲」。

碰撞後的產物

此假說認為，太陽系內某兩個天體碰撞或太陽系內天體爆炸後，形成了許多碎片及更多的彗星物質塵埃。許多同一軌道的碎片結合到一起，就形成了彗核。彗核周圍的塵粒在接近太陽時在太陽吸引下，就形成了彗頭和彗尾。目前，這種說法逐漸被越來越多的人接受。

由復仇星引出

這種假說認為，太陽有一顆伴星——復仇星。復仇星在繞太陽旋轉的軌道上周期性地把致命的彗星釋放到地球上，使地球上揚起持久的塵埃，導致地球環境發生劇烈變動，地球生物大批滅絕。每隔二千六百萬年，當復仇星經過奧爾特雲帶時，其引力就使彗星從奧爾特雲中飛出，其中一部份便飛向地球大氣層。

至於復仇星的來歷，有人認為它與太陽同期形成，有人認為它是後來被太陽俘獲的。當它闖入太陽系時，可能擠走了某顆行星，並由於攝動力而引起地球上的一場大浩劫。然而，復仇星究竟是一顆恆星還是一顆行星，甚至於復仇星是否存在，到現在都還沒有定論。

木星的噴發物

這一假說的理由是，大多數周期彗星的軌道遠日點都在離木星軌道不遠處，所以彗星很可能是由木星內部向外噴發的一些物質形成的。

不過，這一假說難以令人信服。因為木星要想噴發物質，就必須有不低於每秒六十公里的自轉速度，只有這樣，才可能使噴發物擺脫木星的引力。而木星顯然沒有如此高的自轉速度。

來自太陽系以外

還有人認為，彗星是太陽系外的「來客」。他們解釋道，當周期彗星運行到太陽附近時，由於受到太陽風的吹襲，組成彗星的物質便會脫離彗核，形成彗髮和彗尾。如此循環往復，周期彗星每靠近太陽一次，就會造成一次物質損失，彗星就會逐漸碎裂，最後瓦解。從這個過程可以推斷出，宇宙中存在著一種產生新彗星以替代老彗星的方式，否則彗星的數量就會大大減少。而且有可能產生這種變化的地方，就在距離太陽一百五十七億公里之外。據科學家推斷，在那裡有一個巨大的彗星群。然而，這個彗星群迄今為止人們都尚未直接觀察到。

到目前為止，關於彗星的形成之謎雖然存在種種假說，卻還需要更多的研究，才能揭示真相。

一閃而過的流星是怎麼回事

在晴朗的夜空裡，我們有時會看見一道明亮的閃光劃破天幕，飛流而逝，這就是流星現象。在太陽系的廣袤空間中，佈滿了無數塵埃般的小天體——流星體，當它們以高速闖入地球大氣後，與大氣產生摩擦，形成灼熱發光現象，被稱做「流星」。由於流星體一般很小，它們當中的大多數在大氣高層中都燒毀氣化了；也有少數大流星，在大氣層中沒燃燒盡，落到地面的殘骸就稱為「隕星」。

二〇〇四年發生的獅子座流星雨

通常情況下，流星好像夜空中的「散兵游勇」，完全隨機地出現於各個方位。除了這種「偶發」流星外，還有一類常常成群出現的流星群，它們有十分明顯的規律性，出現在大致固定的日期、同樣的天區範圍，所以又叫周期流星。流星群是一群軌道大致相同的流星體，當衝入地球大氣時，成為十分美麗壯觀的流星雨：成千上萬的流星宛如節日禮花一般從天空中某一點附近迸發出來，這一點就叫做輻射點，通常把輻射點所在的星座名作為該流星群的名字。例如一八三三年十一月的獅子座流星雨，那是歷史上最為壯觀的一次大流星雨，每小時下落的流星數達三萬五千顆之多。中國在西元前六八七年曾記錄到天琴座流星雨，「夜中星隕如雨」，這是世界上最早的關於流星雨的記載。

其實，流星並不是偶然出現的，如果用高解析度的天文望遠鏡進行觀測，就會發現天天都會出現流星，夜晚有，白天也有。據統計，每天闖入地球大氣層的流星大概有一億顆左右，只不過大部份我們用肉眼看不到。一般來說，黎明時出現的流星要比黃昏時多。在北半球，四月流星少，九月流星多。我們看到的流星大多數發生在一百公里的高空，它們一般在離地面五十公里處就燃燒完畢了。

小行星會撞地球嗎

一顆巨大的太空星體帶著耀眼的火光撞向地球，激起驚天巨浪，瞬間將城市吞沒……這是科幻電影中經常演繹的行星撞地球的慘烈景象。這種不幸遭遇真的會發生在地球上嗎？

據美國太空總署預測，二〇一九年二月一日可能是一個關係到地球生死存亡的日子，因為一些天文學家估算，一個二千公尺寬、編號為「2002NT7」的小行星或許會在那一天與地球碰個正著。不過，也有科學家認為這場大禍降臨的可能性很小。因為現有的計算結果表示，這顆小行星與地球「接觸」的機率只有二十五萬分之一。

其實，小行星「2002NT7」只是天文學家們關注的對象之一。目前，人類累計觀測到的小行星已有將近六千顆，其中已測算出運行軌道的大約有三千顆。天文學家說，從這個角度分析，地球周圍的「搗蛋鬼」確實不少。不過，大多數天文學家也認為，小行星與地球相撞的可能性很小，理由至少有三點：其一，小行星與太陽系八大行星都在各自的橢圓軌道上運行，其軌道在空間交會的情況非常少見；其二，大部份小行星位於距離地球三到四億公里的空間，這個距離顯然很遙遠；其三，即使個別小行星的運行軌道與地球運行軌道交會，兩個天體在同一時刻經過交會地點的可能性微乎其微。依照統計規律計算，在大約一百萬年間，小行星接近地球或碰撞地球的可能性只有二到三次。

但是，人類對小行星的恐懼不是沒有理由的。統計表示，平均每天都有一億多塊來自小行星的碎片闖進地球大氣層。如果它們沒有在大氣層中燃燒完畢，其殘骸就會落到地面，成為隕石。隕石撞擊也會對地球造成極大的破壞，比如，美國亞利桑那州有一個寬約一千三百公尺、深達一百九十三公尺的巴林傑隕石坑。據估計，它就是由一個直徑約三十到五十公尺的鐵隕石撞擊在這片土地上造成的。

這樣看來，對於小行星是否真的會撞向地球這個問題，還沒有一個確切答案。不過，為了防止地球受到小行星的撞擊，天文學家們已經展開了各式各樣的跟蹤探測。

超新星從哪裡來

有時候，遙望星空，你可能會驚奇地發現：在某一星區，出現了一顆從來沒有見過的明亮星星！然而僅僅過了幾個月甚至幾天，它又漸漸消失了。

這種「奇特」的星星叫做新星或者超新星。在古代又被稱為「客星」，意思是「前來做客」的恆星。

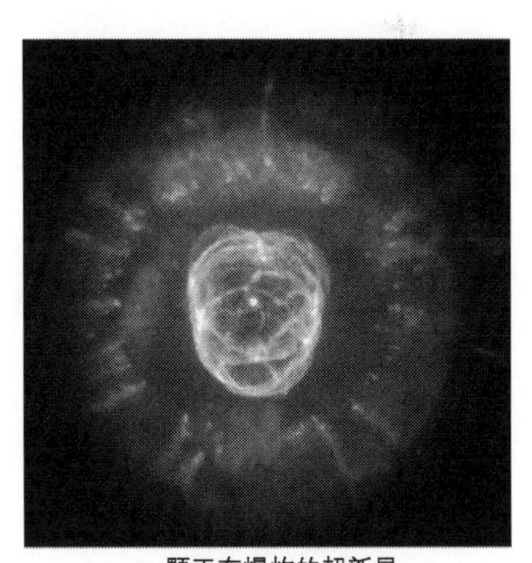

一顆正在爆炸的超新星

新星和超新星是變星中的一個類別。人們看見它們突然出現，曾經一度以為它們是剛剛誕生的恆星，所以取名叫「新星」。其實，它們不但不是新生的星體，而且正好相反，它們是正在走向衰亡的老年恆星——正在爆發的紅巨星。我們在前面提到過，當一顆恆星步入老年，它的中心會向內收縮，而外殼卻朝外膨脹，形成一顆紅巨星。紅巨星是很不穩定的，總有一天它會猛烈地爆發，拋掉身上的外殼，露出藏在中心的白矮星或中子星來。

在大爆炸中，恆星將拋射掉自己大部份的質量，同時釋放出巨大的能量。這樣，在短短幾天內，它的光度有可能增加幾十萬倍，這樣的星叫「新星」。如果恆星的爆發再猛烈些，光度的增加甚至能超過一千萬倍，這樣的恆星就叫做「超新星」。

超新星爆發的激烈程度是讓人難以置信的。據說它在幾天內傾瀉的能量，就像一顆青年恆星在幾億年裡所輻射的那樣多，以至於它看上去就像一整個星系那樣明亮！

新星或者超新星的爆發是天體演化的重要環節。它是老年恆星輝煌的葬禮，同時又是新生恆星的推動者。超新星的爆發可能會引發附近星雲中無數顆恆星的誕生。而從另一方面來說，新星和超新星爆發後的灰燼，也是形成別的天體的重要材料。比如說，今天我們地球上的許多物質元素就來自那些早已消失的恆星。

今天，人們已經發現了越來越多的超新星，但對於它們形成的原因只能作一些猜想，仍然沒有找出真正的謎底。

科學家在南極發現超新星爆炸遺留物質

二〇〇九年，日本科學家在檢測取自南極冰層下的冰核樣品時，發現了一千多年前超新星爆炸時遺留下來的化學物質。這一新發現對於人類認識超新星具有重大意義。

「藏起來」的中子星

一九八七年二月二十三日，天文學家目睹了四百多年來最明亮的一起恆星爆炸事件——一顆被稱為「1987A」的超新星爆發。在隨後的幾個月裡，超新星1987A一直光彩奪目，亮度相當於一億顆太陽。這顆超新星距離地球十六萬三千光年，位於大麥哲倫星雲中。事實上，它是在西元前十六萬一千年左右爆發的，但它的光直到一九八七年才抵達地球。

根據人類現在掌握到的天文學知識，當一顆大質量恆星爆炸時，它會留下某種致密天體，這種天體不是一顆中子星，就是一個黑洞，其結果依賴於前身恆星的質量。也就是說，較小的恆星會演變成中子星，而較大的恆星則會演變成黑洞。

然而，直到二〇〇五年，天文學家們也沒有找到這顆恆星死亡時「創造」出來的黑洞或者是中子星。儘管恆星爆炸的衝擊波點亮了周圍的氣體塵埃雲，但它似乎並沒有留下任何核心殘骸，就連哈勃太空望遠鏡都沒能找到它。美國加利福尼亞大學聖克魯斯分校的天文學家吉納維芙・格拉夫的話代表了大家的疑問：「我們認為一顆中子星已經在超新星 1987A 中形成了。問題是，為什麼我們沒有看到它？那顆失蹤的中子星究竟在哪裡呢？」

超新星 1987A的前身恆星的質量是太陽的二十倍，正好處於形成中子星或者黑洞的分界線上。但是，為什麼科學家們認為這次恆星爆炸會形成一顆中子星呢？原來，人們經過仔細的觀察和精密的計算後發現，這顆恆星的質量還「不夠格」，雖然它爆炸後有可能會形成黑洞，但實際上，能真正形成黑洞的恆星，其質量往往比這顆恆星大得多。

既然大家都一致認為 1987A 中應該會有中子星存在，那為什麼看不到它呢？天文學家彼得・查里斯推斷說：「這顆中子星可能不吸積物質，也不能發出足夠的光使我們能夠看見。」而且，截止到目前，不管是哈勃太空望遠鏡還是斯必澤太空望遠鏡，所有的觀測都沒能檢測到位於超新星 1987A中心處的任何光源，因此這個問題至今仍無法解答。

星　震

星震是星球外殼的撕裂現象，與地球上發生的地震頗為相似。一九七六年十一月六日，科學家們觀測並記錄到火星上發生的一次三級左右的星震。科學家們研究分析了火星星震史後說，火星星震記錄的波形與地球地震記錄的波形圖相似，這表示火星地殼的結構及其震波在其中傳播的條件，與地球十分相似。

中子星為何會「震動」

科學家經過研究發現，不光是地球會發生地震，宇宙中的其他星體也會發生類似於地震的震動，中子星就是其中一例。一九七九年三月五日，一股強大的伽馬射線突然襲擊了太陽系，天文學家們對它的來源困惑不已。直到一九九九年，天文學家才確定，這一現象是由一顆中子星引起的。正是因為這顆中子星發生了劇烈的震動，才使得它拋射出了大量的伽馬射線和 X 射線。

然而，為什麼中子星會發生震動？為了找到答案，科學家們展開了更為細緻的觀察和研究。二〇〇四年十二月二十七日，天文學家觀測到了有史以來記錄到規模最大的星震，一顆編號為 SGR1806-20 的中子星在距離地球五萬光年以外的地方發生了爆炸，爆炸處位於中子星的表面。而爆炸時噴射出的能量巨大無比，在零點二秒的時間內釋放出的能量，是太陽在二十五萬年中釋放能量的總和。

　　美國科學家對這一壯觀的天文現象仔細觀測和研究後，大膽做出了一種解釋：宇宙中存在著一種被稱為「磁星」的中子星，它的密度極大。在其堅硬的外殼下，還包裹著一個奇異的液體核。更為重要的是，這種磁星具有強大的磁場，而磁場的運動又將磁星表面加熱，使星體承受的壓力越來越大。最後，磁星爆炸、破裂，引起了星震，拋射出伽馬射線襲擊宇宙。但是，也有一部份科學家對這一推測表示反對。他們認為，被稱為「磁星」的中子星是不是真的存在，現在還沒有確鑿的觀測證據。而且，即便是真的有這樣一種星體存在，它爆裂的原因是不是真的源自於壓力過大，現在也沒有理論依據。所以，把中子星震動的原因歸結為此是不嚴謹的。

　　我們相信，隨著空間觀測技術的發展，科學家們一定會對中子星的震動之謎給出一個完美的答案。

「迷你」卻不可「輕視」的中子星

　　SGR1806-20 中子星直徑只有約十六公里，體積堪稱「迷你」。但是，它的質量卻是太陽的一點五倍，磁場更是地球的一千萬億倍。

外星人與 UFO

雖然人類目前尚未在地球以外的任何星體發現生命存在的跡象，但宇宙浩瀚無邊，類似地球的行星也不在少數，科學家們從未放棄過在宇宙中尋找其他生命體的探索研究。同時，想像力豐富的人類透過臆想和推測，將一些無法解釋的奇異現象都歸功於神秘的外星人。宇宙中真的有外星人嗎？這個謎題總有一天會解開。

探索地外智慧生命

在地球之外的茫茫宇宙中，究竟有沒有生命？有沒有類似地球人，甚至具備更高智慧的外星人存在？對於這個亙古未解之謎，科學家們眾說紛紜，莫衷一是。

有的科學家認為，既然我們人類居住的地球只是一顆普通的行星，那麼有智慧的生命就應該廣泛地存在於宇宙中。而且，人類對火星、金星、木星等太陽系內部星球的探索工作才剛剛開始，現在就斷言宇宙中沒有別的生命存在，似乎還為時過早。

這些科學家還說，有些人妄斷地球的環境是完美無缺的，諸如只有一個大氣壓，溫度、濕度正常……其實，這些標準是地球人自定的。我們不應該用地球上生命形成與存在的傳統理論來衡量外星球，而忽略了它們在地理條件和自然環境上的不同。事實上，不同星球上的生物，都會以該星球的地理環境和自然條件作為其生存因素。為了證明這一理論的正確性，科學家們展開了各式各樣的實驗。他們在實驗室裡模擬出了木星上的環境條件，並成功地培養出了細菌與蟎類，從而證明生命並不是地球的「專利品」。而且，只要有生命的形式存在，就完全有可能進化出智慧生命。

但反對者卻說，細菌與蟎類只是低級的生命形態，儘管生命可能存在於宇宙中，但單細胞有機體轉化成人的進化過程需要特定環境，而這一環境在宇宙中很難出現。因此，在地球以外還存在智慧生命的可能性非常小。

今天，有關外星人的傳聞日益增多，但仍沒有任何證據能夠證明他們的存在。除了我們地球人，宇宙中究竟還有沒有智慧生命？這個問題已經成為了當代科學界的第一大未解之謎。

可以在外太空生存的地球生物

細菌和蘑菇孢子：俄羅斯科學家經過十八個月的實驗證明，細菌和蘑菇孢子能夠在惡劣的太空環境下存活。

蚊子幼蟲：俄羅斯科學家經過實驗證明，搖蚊幼蟲被放置在開放太空長達十二個月之後，有超過百分之八十奇蹟般恢復生存能力。

蜘蛛：美國科學家曾將蜘蛛帶上太空做了一個實驗，結果證實蜘蛛能夠在零重力狀態下的國際空間站生存數月。

緩步類動物：歐洲科學家發現一種可以在太空真空環境中生存的動物——緩步類動物，也被稱做水熊蟲。這也是人類迄今為止發現的唯一一種可以在雙重嚴酷條件，即真空和太陽輻射下存活的動物。

外星人來自何方

外星人來自何方，這是一個大家都十分關注的問題。多年來，人們對外星人的來源提出了種種推測，歸納起來大致可以分為兩類：一類是「宇宙基地說」，另一類是「地球基地說」。

支持「宇宙基地說」的研究者認為，外星人應該來自於外太空。它們由UFO運送到太陽系附近，在那裡建立基地，然後進入地球空間。據推測，外星人可能在金星、火星、月球或某些衛星建立了「中轉站」。

電影中的UFO

然而，有不少人認為外星人並非來自外太空，他們的基地應該就建立在地球上，即「地球基地說」。這一觀點又被分成了「海底基地說」、「南極基地說」、「地內基地說」和「沙漠基地說」幾類。

加拿大科學家讓・帕拉尚等人首先提出了「海底基地說」。他們經過調查研究認為，在幾萬年前，大西洋上有過一個文明高度發達的大西國，後來可能因為戰爭、洪水或者是星球撞擊等原因，大西國沉入了洋底。大西國人隨之也來到海底生活，在那裡建立了永久性基地。但他們有時會乘坐UFO冒出海面，造成了各種奇異現象。

UFO專家安樂尼奧・里維拉則認為，南極就是外星人的基地。他經過調查得知，第二次世界大戰末，德國人設計出了幾個飛碟，其中有幾架被運送到了南極。可是這種假說明顯證據不足，它一經提出就遭到了較多的質疑。

德國的UFO專家威廉・哈德森認為，外星人應該居住在地球深處，深山峽谷和地球裂縫就是他們的天然出口，這就是「地內基地說」。非洲大峽谷地帶是UFO案例的多發區，這似乎正好支持了這種假說。

外星人究竟來自何方，答案眾說紛紜，各有其理。相信隨著UFO研究的深入，真正的答案會越來越清晰。

外星人形象之謎

外星人的相貌和體態一直都是人類最感興趣的話題之一。為了突出外星人的神秘和與眾不同，設計者們常常使他們以最奇特的形象出現在海報或螢幕上。可是，外星人究竟長什麼樣呢？

電影中的外星人形象

科學家們認為，外星人的相貌和體態，是由他們所處的生態環境，以及所居住星球的光源、磁場、電場、引力、溫度，和他們的遺傳因子、進化過程所決定的。所以不同種類的外星人可能有著迥然不同的外貌特徵。根據很多目擊者的描述，科學家們總結出外星人的形象大致有以下一些特點：

體型：身高一般是零點九公尺到一點五公尺，有的高達三公尺以上。與軀幹相比，腦袋顯得格外碩大，下巴窄而尖。

皮膚：大部份是灰色、白色、棕色。有的人還認為，外星人的皮膚看上去很柔軟，而且富有彈性。

眼睛：很大，但雙眼之間距離較寬。有的目擊者稱，外星人沒有眼球和眼皮。有的目擊者說，外星人的眼睛看上去炯炯有神，這可能是因為他們和我們人類屬於不同人種的緣故。

鼻子：只有兩個小小的呼吸孔。但有目擊事例顯示，外星人也有鼻孔。

嘴巴：有的目擊者說，外星人的嘴巴就是一道細縫，幾乎看不到嘴唇，也沒有牙齒。還有的目擊者認為他們的嘴就是一個洞，有的甚至根本就沒有嘴。

胳膊和手：外星人的胳膊細而長，下垂過膝；手也是各不相同，有的只有四個手指，有的則像地球人一樣有五個手指。

聲音：有的外星人好像在身上安裝了電子設備，嗡嗡作響。有的外星人則會發出低沉的哼哼聲。

儘管人們對外星人相貌的描述多種多樣，但由於我們缺少有力的圖片證據，所以還不能對外星人的形象做出一個準確的描述。由此看來，如果想清楚地得知外星人的相貌，只有依靠人類的不斷探索了。

人類設計的外星人——超人

對人類來說，外星人充滿神秘的色彩。在文學作品、電影或其他作品中，人類設想出了多種外星人的形象，超人就是其中之一。為全世界人所熟知的超人，來自宇宙中的「氪星球」，具有異於常人的超能力。

外星人是否隱居地球

據說，一九八七年四月，瑞典科學家希萊·溫斯羅夫等人在扎伊爾東部的原始森林裡進行考察時，意外地發現了一個外星人居住的村落。這些外星人還帶領他們參觀了當年來地球時乘坐的飛船。這個飛船是銀色的，呈半圓形，現在已經銹跡斑斑了。

溫斯羅夫介紹說，這些外星人的皮膚是黑色的，白色的眼睛裡沒有瞳孔。他們說著一口地道的瑞典語和英語。因此，溫斯羅夫在同外星人的交談中了解到，他們是為了躲避火星上流行的瘟疫，於一七六年前乘飛船來地球避難的。當年來地球的共有二十五人，經過繁衍生息，他們的後代已經有五十多人了。科學家們還發現，這些外星人直到現在還掌握著大量的太空知識，只不過他們已經無法返回火星了。

無獨有偶，據說一九八八年九月，在巴西境內亞馬遜河流域的原始森林裡，德國人類學家威廉·謝爾蓋也發現了這樣一個外星人部落。當他走到部落的祭壇前時，被這個部落崇拜、祭祀的「天空之神」的形象驚呆了，因為「天空之神」看上去竟跟火星上的人面石一模一樣。謝爾蓋詳細詢問它的由來，部落長老卻沒有做出詳細解釋，只是不斷地說著「紅色行星」這樣一個詞語。謝爾蓋明白，「紅色行星」指的就是火星。後來，圍上來的村民們插話說，那個「天空之神」是天外使者帶來的。對原始森林裡的神秘部落，巴西政府一直保持沉默。但是，一位高級官員卻以私人身份透露了這樣一個消息：亞馬遜河流域確實存在著與不明飛行物接觸過的神秘部落。

有人認為金字塔是外星人建造的「加油站」

難道真的有外星人隱居於地球？他們是出於什麼原因，又是怎樣來到地球的呢？這些謎團到現在也沒有解開。

米切爾稱登陸月球時遭遇外星人

現年七十七歲的米切爾是美國著名的太空英雄之一，擁有太空工程學學士學位和航空航太學博士學位。一九七一年，他乘坐「阿波羅十四號」宇宙飛船登上月球，並和同伴創下了在月球行走九小時十七分鐘的紀錄。

米切爾在一次接受電臺訪問時透露，當他從月球返回「阿波羅十四號」太空艙時，曾遭遇了外星人。他說，當時有一種被某種東西注視的奇怪感覺，彷彿感到自己和宇宙中的智慧生命產生了一種心靈的接觸。

「金星人」在地球

世界上有很多人聲稱自己遇到過外星人，還有人自稱是外星人與地球人的子孫，甚至有人公開宣佈自己就是外星人。雖然目前的主流科學還不能證實這些人故事的真實性，但研究人員從這些人的 DNA 中找到了一些證據——這些人的 DNA 確實非常特殊，少見於人類。

來自美國俄亥俄州的婦女奧妮克就是其中一個例子。每天只需要兩個小時睡眠、具有很多超常能力的她，自稱於二百四十六年前在金星上一個名為淘特尼的市鎮出生。一九五五年，她「帶著使命」來到地球。當時，沒有身體的她住在一

金星人奧妮克

個飛行器上。後來，她進入了一個因車禍死亡的七歲女孩的身體，而這個女孩的真正靈魂已經在車禍中消失。奧妮克慢慢長大了，過著貌似正常的生活。她結了婚，並生了三個孩子。直到一九九〇年，她才公開了「金星人」的身份，成為暢銷書作家。現在，奧妮克開始致力實現自己最初的「使命」，在歐美各地旅行，向地球人傳達宇宙的信息。

奧妮克稱，她知道很多星球上都有各種不同的生命，他們一直在監視著地球。而且，地球上不同的種族也與不同星球的生命有著密不可分的關係。奧妮克還回答了有關星系和宇宙的問題，雖然她描述的一些情況與人類目前透過宇宙探測器了解到的有矛盾。但一些相信奧妮克的科學家、研究員，甚至NASA前任官員都曾說過，一些公開發表的宇宙和行星照片都是被修改過的，照片上的飛碟和看起來像是外星文明創造的各種各樣的建築都被刪除了。所以他們認為，不能說奧妮克的故事完全沒有真實性。

地球上究竟有沒有外星人存在？如果有的話，他們為什麼會來到地球？所有這些問題都還是一個個未解的謎。

英國近半數受訪者相信外星人存在

二〇一〇年，英國最享有盛名的科學機構——英國皇家學會對兩千多名成年人進行的調查發現，百分之四十四的人相信地外生命的存在，稱人類並不是宇宙裡獨一無二的。超過三分之一的受訪者表示，「我們應該積極採取行動，努力與外星人取得聯繫」。但是尋找外星人的任務很難順利進行，因為人們在「我們需要尋找什麼樣的外星人」的問題上存在很大分歧。

駭人聽聞的「屠牛事件」

在世界各地的目擊者報告中，研究人員常常發現，外星人會劫持地球上的動物來進行生物實驗。

據說，在美國的阿肯色州、俄克拉荷馬州、密蘇里州、蒙大拿州等地，都發生過駭人聽聞的「屠牛事件」。迄今為止，被殘害的牛已達上萬頭。這些被殘害的牛有的被抽光血液，有的被割走內臟，有的被割掉了眼耳口鼻和生殖器。而且，有一次竟有五頭牛同時被殺，卻莫名其妙地被等距離擺放成一條直線。更令人驚異的是，無論在哪一個屠牛現場，人們都沒有發現血跡，牛屍周圍也沒有掙扎的跡象，附近農場裡的人也沒有聽到任何聲響。這樣一來，牛群的死因無法確認，連法醫都不能確定凶手使用的是何種凶器和殺牛方法。

更為奇怪的還在後面，這些牛的屍體經過一個多月的風吹雨打，絲毫也沒有腐爛的跡象，連蒼蠅都「望而卻步」。

農場裡的人說，這些牛平時都是散養的，要想套住一頭四五個月大的牛仔，需要五六個男人騎上馬通力合作。可是在現場，一點套牛的痕跡也沒有。有些牛像是從高空掉下來摔死的。除了刀傷之外，有的牛的腿骨和肋骨都斷裂了。但是，是誰在高空逮住了它們呢？這不像是人類所為。因為一旦我們的直升機靠近牛群，它的聲響和強大的氣流早就將牛嚇得狂奔亂竄，而且這些牛的身體上又沒有被麻醉和被毒死的跡象，更沒有槍擊的痕跡。

面對種種疑惑，人們不禁要問，到底誰是罪魁禍首？據研究人員說，在牛屍周圍的地面上，有一片圓形的土地，像是被某種放射性物質灼燒過。另外，研究人員還在周圍發現了類似UFO降落的痕跡——在直徑大約為四公尺的圓形中有兩層圓圈，像是 UFO 的支柱留下的。因此很多人認為，這種駭人聽聞、前所未有的屠殺，是外星人在進行生物實驗。果真如此嗎？這個謎至今還沒有解開。

美國聯邦調查局對「屠牛事件」的調查結果

一九七九年五月，美國聯邦調查局將「屠牛事件」進行立項，展開調查。調查組在一年內研究了數千件屠牛案件，然後提交了最終報告。上面寫到：經過慎重權衡和分析所有跡象，結論是，大規模屠牛事件是食肉動物與食腐動物所為。

然而，幾乎沒有人相信這一說法。最後，與大多數 UFO 事件一樣，屠牛事件也被美國政府封鎖了消息。

UFO 之謎

UFO 是 Unidentified Flying Object 的縮寫，中文譯名為「不明飛行物」。雖然未經查明的空中飛行物都叫做 UFO，但人們通常會將它們和外星人聯繫在一起，認為它們是外星人駕駛的飛行工具。根據目擊者的報告，這種不明飛行物大多呈圓盤狀，所以通常又被稱做「飛碟」。

早在一八七八年一月，世界上就出現了飛碟熱。到十九世紀八〇年代為止，全世界關於UFO的目擊事件、目擊報告約有十萬件之多。這些事件和報告大體可分為四類：白天目擊事件、夜晚目擊事件、雷達顯像、近距離接觸和有關物證。部份目擊事件還有照片為證。

UFO 真的存在嗎？相當一部份科學界人士對此持否定態度。在美國空軍調查了十七年後發表的《藍皮書調查計畫（一九五二年至一九六九年）》中就有著準確的記錄。參加這個計畫的委員會共擁有三十七名專家，他們花了兩年時間，對一萬二千六百一十八件目擊案例進行了嚴格的科學鑑別，又從中選取九十一起作為重點研究對象，最後他們做出了這樣的結論：在目擊案例中大約百分之八十的現象屬於流星、人造衛星、雲朵、幻影、海市蜃樓、鳥群等自然現象。除此之外，剩下百分之二十的UFO目擊案例因為缺乏有力證據，無法做出確切解釋。

但是，也有不少科學家認為UFO真的存在。他們提出，太陽系只是一個普通星系，銀河系中適合生命存在的行星大約有一千億顆，其中有高級生命居住的不下於百萬顆，其文明的進化程度也許遠遠超過了人類。

美國芝加哥大學的教授聖托斯博士用電腦分檢出了從一九四七年到一九七七年間，五萬多起UFO目擊報告後指出，UFO「訪問」地球的活動周期為六十一個月。除此之外，連美國前總統卡特和里根都認為，UFO 是存在的。

現在，透過大量的資料研究，人們對UFO已經有了一定的認識。但是，關於它是否真的存在，目前仍是眾說紛紜。要想解開這個謎團，還需要人類的繼續探索。

UFO 的基地在哪裡

近百年來，發生在百慕達三角地區的飛機失蹤、輪船下沉事件頻繁出現，引起了無數科學工作者的重視與興趣。他們對這一區域進行了仔細的考察，提供了各種可供探討的推論，如「海龍捲說」、「磁場說」、「超時空說」等等。在這些推論裡，「UFO 說」最引人注目。這一觀點認為，在百慕達三角區域的海底深處，隱藏著某種外來文明，正是這種外來文明的 UFO「捉走了」人類的船隻和飛機。

這一觀點並非憑空想象，許多飛機駕駛員、水手、漁民、記者、研究人員等都在這裡的海域或空中目擊過各種各樣的 UFO。一九六八年一月，美國 TG 石油公司的施工人員在土耳其西部一處深達二百七十公尺的地下，發現了一條穴道。穴道高四到五公尺，洞壁光滑異常，如人工打磨過一般。它蜿蜒向前，左右又有無數分支，宛如一個地下迷宮。就在工人們感到萬分驚訝的時候，一個白色的巨人突然出現。他身高足有四公尺，全身上下閃閃發亮。伴隨著他雷鳴般的吼聲，所有的工人都被聲浪掀翻在地！

有人由此推測，如果這件事是真的，那麼巨人應該就是生活在地下的高等智慧生物。最令人興奮的是，發現巨人的地點與百慕達三角正處於同一緯度！很多科學家由此認為，海洋深處應該有著相互連通的隧道，而這條隧道的盡頭就在百慕達海域下面。這裡有一個大洞，海水可以從這兒流進去，然後在其他海域重新冒出來。這個洞口還會產生巨大的旋渦，當外星人或UFO出入洞口時，超乎想像的旋渦能量肯定會輕而易舉地吞噬剛好經過的輪船或飛機！

另外，據傳在百慕達三角區域的水下，人們還發現了一些人工建築和兩座巨大的金字塔。從它們的建造技術來看，應該不是人類的作品。難道百慕達三角真的是UFO的海洋基地？現在，人們還沒有找到充分的證據來對它加以證明，這一切都還是一個未解之謎。

百慕達三角

百慕達三角又稱魔鬼三角。一九四五年十二月五日，美國 19 飛行隊在訓練時突然失蹤，當時預定的飛行計畫是一個三角形，於是人們後來把美國東南沿海的西大西洋上，北起百慕達，延伸到佛羅里達州南部的邁阿密，然後通過巴哈馬群島，穿過波多黎各，到西經四十度附近的聖胡安，再折回百慕達，形成的一個三角地區，稱為百慕達三角區。在這個地區，已有數以百計的船隻和飛機失事，數以千計的人喪生。

外星人為何要攻擊人類

有很多專家認為，外星人對我們人類可能並無惡意。否則，憑藉他們的科技水平，完全可以征服地球上的任何一個國家。然而，外星人攻擊人類的事例還是從世界各地傳來。

據說，一九六七年五月的一天，巴西的一個農民從林中打獵歸來。快到家時，他看到一個碟狀飛行物降落在他家的田地裡，飛行物旁邊還有三個「巨人」飄浮在空中。這個農民立刻舉起槍向三個巨人射擊，卻反被巨人擊中了肩頭。之後，三個巨人立刻回到了他們的飛行物中，迅速飛走了。那個農民回家後便臥床不起，兩個月後就死去了。法醫檢查後的結論是，這個農民遭受到的是一種強烈的輻射，這種輻射破壞了人體內的紅血球。

此類攻擊事件很常見，有專家由此推測，在人類與外星人的接觸中，是人類的不友善行為導致自己受到了

UFO的攻擊。但是，地外生命主動攻擊人類的事例也照樣存在。

據說同樣是在巴西，一九八一年的一天，兩個青年相約去森林裡打獵。他們分別爬上了一棵矮樹。突然，一個像卡車輪子一樣的飛行物向他們飛來，四周散發著強光，把其中一個年輕人嚇得從樹上摔了下來。這時，一束光射在另一個年輕人身上，他尖叫了一聲也掉了下來。沒被光射中的青年嚇得轉身就跑。第二天，他帶人來尋找他的伙伴，卻發現那人已經死了。奇怪的是，死者身上沒有致命的傷痕，只是全身的血液都消失了。兩天後，另一個青年也在打獵時被強光擊中後死亡，屍體裡也沒有血液。據說接著又有一個人在山頂遭遇UFO，也是受到同樣的攻擊後喪生。

這些案件發生後，警方對證人和目擊者進行了測謊試驗，結果表明他們都沒有撒謊。那麼，真的是UFO射出的光線殺死了人類？可是，UFO為什麼要攻擊那些手無寸鐵的人呢？這個謎題，我們現在還無法解開。

質疑UFO留下的痕跡

在德國、俄羅斯、義大利、美國的一些地方，人們曾發現過許多奇怪的痕跡，它們有著不可思議的形狀。關於它們的來歷，直到現在還是一個謎。

一九七三年的一天，據說在美國洛杉磯附近，有兩位十七歲的中學生在樹林裡的空地上看到了一個灰色的東西。他們用手電照了照，那個東西立刻發出一種金屬撞擊的聲音，而且還閃爍著紅色的光，然後就飛走了。美國的一位UFO專家很快就來到了那片空地，他仔細檢查了地面上的痕跡，發現這裡的泥土變得又乾又硬，地上還留下了三個方形小洞，其邊長和深度都是十五公分。將這三個洞連在一起可以看出，它們組成一個等腰三角形。另外，空地上有一圈雜草看上去明顯發黃。結合目擊者的描述，專家認為，這些痕跡有可能是UFO著陸後留下來的。

這樣的事情在義大利同樣出現過。一九七七年七月五日，在義大利一個海拔兩百公尺左右的丘陵上，人們發現了一些奇怪的痕跡。這些痕跡一共是八個，分內、外兩圈。內圈有四個，連起來形成了一個不規則的梯形；外圈也有四個，連起來也是一個不規則的梯形。另外，這片土地看上去好像被一個非常沉重的東西擠壓過。專家們仔細考察了周圍的情況，他們認為，這很有可能是 UFO 著陸留下來的痕跡。而且這架 UFO 著陸的時候，定位相當準確，技術也相當熟練。

一些專家綜合研究了有關UFO著陸的報告，他們發現，UFO的著陸點大都會出現一個圓圈，圈內的土地受過重壓，裡面的磁場發生了明顯異常。科學家們推測，它們很有可能就是UFO著陸後留下的痕跡，但這種說法目前還沒有得到證實。這些神秘痕跡究竟來自何處，現在還不得而知。

神秘的「麥田怪圈」

「麥田怪圈」是在麥田或其他農田上，透過某種力量把農作物壓平而產生的幾何圖案。人們最早發現麥田怪圈是在十六世紀末的荷蘭。第一則關於「麥田怪圈」的報導可以追溯到一六四七年的英國。此後，美國、澳大利亞、歐洲、南美洲、亞洲等地都頻頻發現麥田怪圈，其中絕大部份是在英國。截至目前，全世界每年大約要出現二百五十個麥田怪圈，圖案也各有不同。

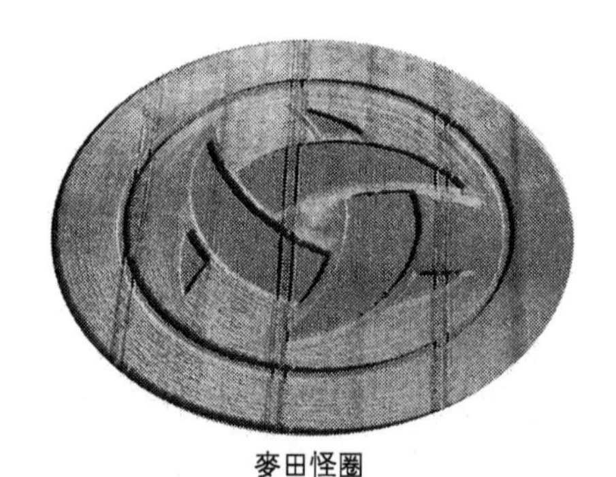

麥田怪圈

宇宙中的「黑色騎士」之謎

在太陽系中存在著來自地球之外的人造天體，這已不是什麼奇聞。

一九六一年，在巴黎天文觀測臺工作的法國學者雅克・瓦萊，發現了一顆運行方向與其他衛星相反的地球衛星，這顆來歷不明的衛星被命為「黑色騎士」。隨後，世界上有許多天文學家按瓦萊提供的精確數據，也發現了這顆環繞地球逆向旋轉的獨特衛星。一九八一年，蘇聯的一家天文臺也證實了「黑色騎士」的存在，並公佈了它的具體特徵：它在地球高空的軌道上，循著極大的橢圓軌道運行，體積甚小，十分耀眼，像是個金屬球體。

法國學者亞歷山大・洛吉爾認為，「黑色騎士」可以用與眾不同的方式繞地球運行，表示它能夠改變重力的影響，人類目前還無法做到這一點，恐怕只有外星來客才能做到，因此這顆被稱做「黑色騎士」的奇特衛星可能與 UFO 具有聯繫。

一九八三年一月到十一月間，美國發射的一顆紅外天文衛星在北部天空掃描時，在獵戶座方向兩次發現同一個神秘天體。而這兩次觀測間隔了六個月，這表示這個天體在空中有穩定的軌道。

一九八八年十二月，蘇聯科學家透過地面衛星站發現有一顆神秘的巨大衛星出現在地球軌道上，他們當時以為這是美國「星球大戰」中的衛星。稍後蘇聯方面才知道，美國的科學家也在同一時間發現那顆神秘的衛星，而美國人則以為它是屬於蘇聯的。

人造地球衛星

經過美蘇兩國高層官員透過外交途徑接觸和討論，雙方才確認那顆衛星是出自第三者。以後的一系列調查表示，法國、聯邦德國、日本或地球上任何有能力發射衛星的國家都沒有發射它。

根據蘇聯的衛星和地面站的跟蹤顯示，這顆衛星體積異常巨大，具有鑽石般的外形，外圍有強磁場保護，內部裝有十分先進的探測儀器。它似乎有能力掃描和分析地球上每一樣東西，包括所有生物在內。它同時還裝有強大的發報設備，可將搜集到的資料傳送到遙遠的外太空去。

一九八九年，在瑞士日內瓦召開的一次記者招待會上，蘇聯的太空專家莫斯．耶諾華博士公開了此事。他強調：「這顆衛星是一九八九年底出現在地球軌道上的。它肯定不是來自地球。」他表示，蘇聯將會「出動火箭去調查，希望儘量找出真相」。

此事披露之後，至今世界上已有兩百多位科學家表示願意協助研究這顆可能是來自外太空某一個星球的人造天體。法國天文學家佐治．米拉博士說：「很明顯，這顆衛星飛行了很遠的距離才來到地球，事實上它的設計也是這樣。雖然只是初步估計，但我敢說它至少已製成五萬年之久！」

運行在地球軌道上的不僅有完好的外來人造衛星，而且有爆炸後的外星太空船殘骸，蘇聯科學家在六〇年代初期，首次發現一個離地球兩千公里的特殊太空殘骸。經多年研究後，他們才確信那是一艘由於內部爆炸而變成十塊碎片的外星太空船的殘骸，並向外界宣佈了這個消息，引起了世界的關注。

著名的蘇聯天體物理研究者克薩耶夫對此表示：「其中兩個最大片的殘骸直徑約為三十公尺，人們可以假定這艘太空船至少長六十公尺，寬三十公尺；從殘骸上看，它外面有一些小型圓頂，裝設望遠鏡、碟形天線以供通訊之用，此外，它還有舷窗供探視使用。」這位研究者補充說：「太空船的體積顯示它有好幾層。」

另一位蘇聯物理學家埃茲赫強調說：「我們多年搜集到的所有證據顯示，那是一艘機件故障的太空船發生爆炸留下的殘骸。」他還說：「在太空船上極可能還有外星乘員的遺骸。」蘇聯科學家的發現已使美國同行產生了濃厚的興趣。美國核子物理學家與太空專家斯丹・費德曼說：「如果我們到太空去收回這些殘骸，相信我們可以把它們拼合起來。」

其實，早在蘇聯宣佈他們發現地外太空飛船殘骸的十年前，一位美國天文學家約翰・巴哥貝曾在美國一份著名的科學雜誌上發表了一篇文章，其中提到有十塊不明殘片像十個小月亮似的圍繞地球運行。他認為，它們來自一個分裂的龐大母體，而這個不明物體分裂的時間就是一九五五年十二月十八日。這正好與蘇聯科學家的研究結果不謀而合，同時巴哥貝也駁斥了炸裂物體的存在只是一種自然現象的可能性。

事實果真如此嗎？這一切，直到二十一世紀的曙光降臨，我們的科學家也還沒有安全弄明白，這顆五萬年前被發射升空的人造衛星，它的主人到底是誰？他們發射該衛星的目的何在？

人造地球衛星

人造地球衛星又稱人造衛星，是指能環繞地球飛行並在空間軌道運行一圈以上的無人太空飛行。

一九五七年十月四日，蘇聯發射了世界上第一顆人造衛星。之後，美國、法國、日本也相繼發射了人造衛星。中國於一九七〇年四月二十四日發射了中國第一顆人造衛星「東方紅一號」，到目前為止，中國已發射了五十多顆不同類型的人造衛星。

國家圖書館出版品預行編目資料

探索宇宙未解之謎 / 李淑穎編著. -- 修訂 1 版. --
新北市：黃山國際出版社有限公司, 2024.09
面； 公分. --（百科探索；009）
ISBN 978-986-397-166-5（平裝）
1.CST：百科全書 2.CST：青少年讀物

047 112020656

百科探索 009
探索宇宙未解之謎

編 著 李淑穎
出 版 黃山國際出版社有限公司
220 新北市板橋區縣民大道 3 段 93 巷 30 弄 25 號 1 樓
電話：02-32343788 傳真：02-22234544
E-mail：pftwsdom@ms7.hinet.net
印 刷 百通科技股份有限公司
電話：02-86926066 傳真：02-86926016
總 經 銷 貿騰發賣股份有限公司
新北市 235 中和區立德街 136 號 6 樓
電話：02-82275988 傳真：02-82275989
網址：www.namode.com
版 次 2024 年 9 月修訂 1 版
特 價 新台幣 320 元（缺頁或破損的書，請寄回更換）

ISBN： 978-986-397-166-5